庫

走ることについて語るときに僕の語ること

村上春樹

文藝春秋

前書き　選択事項《オプショナル》としての苦しみ

真の紳士は、別れた女と、払った税金の話はしないという金言がある――というのは真っ赤な嘘だ。僕がさっき適当に作った。すみません。しかしもしそういう言葉が本当にあったとしたら、「健康法を語らない」というのも、紳士の条件のひとつになるかもしれない。たしかに真の紳士は自分の健康法について、人前でべらべらしゃべりまくったりはしないだろう。そういう気がする。

もちろん誰もが知ってのとおり、僕は真の紳士ではないので、そんなことをいちいち気にすることもないわけだが、それでもやはりこういう本を書くのは、なんとなく気恥ずかしいものである。しかし、言い訳をするみたいで恐縮だが、これは走ることについての本ではあるけれど、健康法についての本ではない。僕はここで「さあ、みんなで毎日走って健康になりましょう」というような主張を繰り広げているわけではない。あくまで僕という人間にとって走り続けるというのがどのようなことであったか、それについて思いを巡らしたり、あるいは自問自答しているだけだ。

サマセット・モームは「どんな髭剃りにも哲学がある」と書いている。どんなにつまらないことでも、日々続けていれば、そこには何かしらの観照のようなものが生まれるということなのだろう。僕もモーム氏の説に心から賛同したい。だから物書きとして、またランナーとして、走ることについての個人的なささやかな文章を書き、活字のかたちで発表したとしても、それほど道にはずれた行ないとは言えないはずだ。手間のかかる性格というべきか、僕は字にしてみないとものがうまく考えられない人間なので、自分が走る意味について考察するには、手を動かして実際にこのような文章を書いてみなくてはならなかった。

あるときパリのホテルの部屋で寝ころんで、インターナショナル・ヘラルド・トリビューン紙を読んでいたら、マラソン・ランナーの特集記事がたまたま載っていた。何人もの有名なマラソン・ランナーにインタビューして、彼らがレースの途中で、自らを叱咤激励《しったげきれい》するためにどんなマントラを頭の中で唱えているか、という質問をしていた。なかなか興味深い企画である。それを読むと、みんな本当にいろんなことを考えながら、42・195キロを走っているのだなあと感心してしまう。それだけフル・マラソンというのは過酷な競技なのだ。マントラでも唱えないことにはやっていけない。

その中に一人、兄（その人もランナー）に教わった文句を、走り始めて以来ずっと、レース中に頭の中で反芻《はんすう》しているというランナーがいた。Pain is inevitable. Suffering is optional. それが彼のマントラだった。正確なニュアンスは日本語に訳しにくいのだが、あえてごく簡単に訳せば、「痛みは避けがたいが、苦しみはオプショナル（こちら次第）」ということになる。たとえば走っていて「ああ、きつい、もう駄目だ」と思ったとして、「きつい」というのは避けようのない事実だが、「もう駄目」かどうかはあくまで本人の裁量に委ねられていることである。この言葉は、マラソンという競技のいちばん大事な部分を簡潔に要約していると思う。

走ることについて本を一冊書いてみようと思い立ったのは、かれこれ十年以上前のことだが、それからああでもない、こうでもないと思い悩みつつ、執筆に手をつけることなく歳月をやり過ごしてきた。「走ること」とひと口に言っても、あまりにもテーマが漠然としていて、いったい何をどのように書けばいいのか、考えがなかなかまとまらなかったのだ。

でもある時ふと「自分の感じていること、考えていることを、頭からそのまま素直に、僕なりの文章にしてみよう。とにかくそこから始めるしかあるまい」と思いたち、2005年の夏から書き下ろしのかたちでぼちぼちと書き始め、2006年の秋に書き終えた。一部に過去に書いた文章を引用しているが、ほとんどは僕の「今の気持ち」をそのまま書き記した。走ることについて正直に書くことは、僕という人間について（ある程度）正直に書くことでもあった。途中からそれに気がついた。だからこの本を、ランニングという行為を軸にした一種の「メモワール」として読んでいただいてもさしつかえないと思う。

ここには「哲学」とまではいかないにせよ、ある種の経験則のようなものはいくらか含まれていると思う。たいしたものではないかもしれないが、それは少なくとも僕が自分の身体を実際に動かすことによって、オプショナルとしての苦しみを通して、きわめて個人的に学んだものである。汎用性はあまりないかもしれない。でも何はともあれ、それが僕という人間なのだ。

2007年8月某日

走ることについて語るときに僕の語ること　目次

走ることについて語るときに僕の語ること

第1章　2005年8月5日
ハワイ州カウアイ島

誰にミック・ジャガーを笑うことができるだろう？

今日は2005年の8月5日、金曜日。ハワイのカウアイ島。ノースショア。あきれるくらいさっぱりと晴れわたっている。雲ひとつない。今のところ雲という概念の暗示すらない。7月の末にこちらにやってきた。いつものようにここでコンドミニアムを借り、朝の涼しいうちに机に向かって仕事をする。たとえば今はこの文章を書いている。走ることについての、自由な文章。夏だからもちろん暑い。ハワイはよく常夏の島と言われるが、いちおう北半球に位置しているから、四季はひととおり揃っている。夏は冬よりは（比較的）暑い。しかしマサチューセッツ州ケンブリッジの、煉瓦とコンクリートに囲まれた、拷問にも似た蒸し暑さに比べれば、ここの心地よさは天国並みだ。エアコンもまったく必要ない。窓を開けておけばさわやかな風が勝手に入ってくる。ケンブリッジの人々は、僕が8月をハワイで過ごすと言うと「夏なのに、わざわざそんな暑いところに行くなんて、どうかしているんじゃないか」と一様に驚く。しかし彼らは知らないのだ。北東の方角から間断なく吹きわたる貿易風が、ハワイの夏をどれほど涼しくしてくれるかということを。アボカドのクールな樹陰での安らかな読書や、ふと思いったときにそのまま南太平洋の入り江に泳ぎにいける生活が、人をどれほど幸福な気持ちにしてくれるかを。

ハワイに来てからも、毎日欠かさず走り続けている。やむを得ない場合を別にして、一日も休まずに走るという生活を再開してから、そろそろ二カ月半になる。今朝はラヴィン・スプーンフルの『デイドリーム』と『ハムズ・オブ・ザ・ラヴィン・スプーンフル』という二枚のアルバムをひとつに録音したMDをウォークマンに入れて、それを聴きながら1時間10分走った。

我慢強く距離を積み上げていく時期なので、今のところタイムはさほど問題にはならない。ただ黙々と時間をかけて距離を走る。速く走りたいと感じればそれなりにスピードも出すが、たとえペースを上げてもその時間を短くし、身体が今感じている気持ちの良さをそのまま明日に持ち越すように心がける。長編小説を書いているときと同じ要領だ。もっと書き続けられそうなところで、思い切って筆を置く。そうすれば翌日の作業のとりかかりが楽になる。アーネスト・ヘミングウェイもたしか似たようなことを書いていた。継続すること――リズムを断ち切らないこと。長期的な作業にとってはそれが重要だ。いったんリズムが設定されてしまえば、あとはなんとでもなる。しかし弾《はず》み車が一定の速度で確実に回り始めるまでは、継続についてどんなに気をつかっても気をつかいすぎることはない。

走っているあいだに短く雨が降ったが、ほどよく身体を冷やしてくれる程度の雨だった。厚い雲が海の方からやってきて頭上を覆い、細かい雨をひとしきり降らせ、「急ぎの用事があるから」という風情で、あとを振り返りもせず、そのままどこかに行ってしまう。そしてまたいつもの留保のない太陽が、じりじりと大地に照りつける。わかりやすい天候だ。難解さや二義性は見当たらず、比喩もなければ象徴もない。途中で何人かのジョガーに出会う。男女の数はだいたい同じ。大地を蹴り、風を切って走る元気なランナーは、背後から夜盗の一群に追いかけられているみたいに見える。一方、目を半開きにし、はあはあと大きく息をし、肩を落としながらいかにもつらそうに走る肥満したランナーがいる。一週間前に糖尿病の検査をして、主治医に日々の運動を強く勧められたのかもしれない。僕はその中間くらいのところだ。

　ラヴィン・スプーンフルの音楽はいつ聴いても素敵だ。必要以上に自分を大きく見せようとしない音楽だ。そんな心の和む音楽に耳を澄ませていると、１９６０年代の半ばに僕の身に起こったいろんなものごとの記憶が、少しずつ目を覚ましていく。どれもたいした出来事ではない。もし僕の伝記映画が作られるとしたら（考えるだけでおそろしいことだが）、編集の段階で全部カットされてしまう程度のものだ。「このエピソードはべつになくてもかまわないな。悪くはないけど、まあありきたりだから」みたいなことを言われて。そう、ほんのささやかな、ありきたりの出来事なのだ。でも僕にしてみれば、それなりに意味を持つ、有用な思い出だ。そんなあれこれを思い出しながら、知らず知らず微笑んだり、ほんの少し難しい顔をしたりしているかもしれない。そして僕は——そんな様々なありきたりの出来事の堆積の末に——今ここにいる。カウアイのノースショアに。人生について考えると、ときどき自分が浜に打ち上げられた一本の流木に過ぎないような気がしてくる。灯台の方向から吹いてくる貿易風が、ユーカリの樹を頭上でさわさわと揺らせる。

今年の5月末、マサチューセッツ州ケンブリッジで暮らすようになってから、走ることが再び日々の生活のひとつの柱になった。かなりまじめに走っている。僕が「まじめに走る」というのは、具体的に数字をあげて言えば、週に60キロ走ることを意味する。つまり週に六日、一日に10キロ走るということだ。本当は週に七日、毎日10キロ走ればいいのだけれど、雨が降る日もあれば、仕事が忙しくて時間がとれない日もある。今日は疲れていて走りたくないということだってある。だからあらかじめ週に一日くらいは「お休み」の日を設定しておくわけだ。それで週に60キロ、一カ月におおよそ260キロという数字が、僕にとっては「まじめに走る」ことのいちおうの目安になる。

6月はその計算どおり、ちょうど260キロ走った。7月は更に距離を伸ばし、310キロ走った。毎日きっかり10キロ、週一の休みなしに走ったことになる。もちろん日々正確に10キロ走るというのではなく、昨日は15キロ走り、今日は5キロしか走らないということもある。均《なら》して一日に10キロということだ（ジョグ・ペースで一時間走るとだいたい10キロになる）。これは僕としては、かなり「真剣に」走ったというレベルである。ハワイに来てからも、この一日10キロというペースは保たれている。これだけ立て続けにまとまった距離を走るのはずいぶん久方ぶりのことだ。
　ニューイングランドの夏は、それを体験したことのない人が想像するより遥かに厳しいものである。涼しくてさっぱりとした日もあるのだが、耐え難いほど暑く不快な日が巡ってくる。風が吹いているうちはまだいい。しかしいったん風がやむと、海からやってくる霧のような湿気が、濡れた薄い布となって身体にまとわりつく。チャールズ河沿いを一時間ばかり走ると、まるでバケツで水を浴びたみたいに、身につけているすべてが汗でぐしょぐしょになってしまう。日焼けで肌がひりひりする。頭がぼんやりとしてくる。まとまったことは何ひとつ考えられない。それでもがんばって走り終えると、身体の芯から一切合切《いっさいがっさい》を絞り出してしまったような、いくぶん捨て鉢な爽快さがそこに生まれる。

　どうしてある時点から「まじめに」走らなくなってしまったのか、それにはいくつかの理由があげられる。まずひとつには、人生がだんだん忙しくなり、日々の生活の中でそれほど自由に時間がとれなくなってきたということがある。若いときには時間はいくらでもあった、というわけではないが、少なくともこんなにたくさん雑事はなかった。

雑事というのは年を取るにつれて何故か増えていくものらしい。またどちらかというと、マラソンよりトライアスロンの方に気持ちが向いてしまったせいもあるだろう。ご存じのように、トライアスロンはランのほかに水泳と自転車のパートがある。僕はもともとがランナーだから、走ることにはとりあえず不自由はないが、ほかの二つの競技に習熟するために、それなりの訓練を積まなくてはならなかった。水泳のフォームを初歩から矯正し、自転車に乗るテクニックを覚え、そのための筋肉をこしらえた。時間と手間のかかる作業だ。そのぶん、ランニングのために割《さ》く時間が削り取られた。

しかしあまり熱心に走らなくなったいちばんの理由は、僕がある時点から「走る」という行為にいささか飽いていったからだろう。僕は1982年の秋に走り始め、以来二十三年近く走り続けてきた。ほとんど毎日ジョギングをし、毎年最低一度はフル・マラソンを走り（計算すると今までに二十三回走っている）、そのほか世界各地で数え切れないくらい、長短様々の距離のレースに出場した。長い距離を走ることはもともとの性格に合っていたし、走っていればただ楽しかった。走ることは、僕がこれまでの人生の中で後天的に身につけることになった数々の習慣の中では、おそらくもっとも有益であり、大事な意味を持つものであった。そして二十数年間途切れなく走り続けることによって、僕の身体と精神はおおむね良き方向に強化され形成されていったと思う。

僕はチーム競技に向いた人間とは言えない。良くも悪くも、これは生まれつきのものだ。サッカーや野球といった競技に参加すると（子供の時を別にして、そういう経験は実際にはほとんどないのだけれど）、いつもかすかな居心地の悪さを感じさせられた。兄弟がいないことも関係しているのかもしれないが、他人と一緒にやるゲームにどうしてものめり込めない。またテニスみたいな一対一の対抗スポーツもあまり得意とは言えない。スカッシュは好きな競技だが、いざ試合となると、勝っても負けても妙に落ち着かない。格闘技も苦手だ。

もちろん僕にだって負けず嫌いなところはなくはない。しかしなぜか、他人を相手に勝ったり負けたりすることには、昔から一貫してあまりこだわらなかった。そういう性向は大人になってもおおむね変わらない。何ごとによらず、他人に勝とうが負けようが、そんなに気にならない。それよりは、自分自身の設定した基準をクリアできるかできないか——そちらの方により関心が向く。そういう意味で長距離走は、僕のメンタリティーにぴたりとはまるスポーツだった。

フル・マラソンを走ってみればわかるが、レースで特定の誰かに勝っても負けても、そんなことはランナーにとってとくに問題にはならない。もちろん優勝を目指すようなトップ・ランナーになれば、目の前のライバルを凌駕することは重要な課題になるわけだが、一般の市民ランナーにとっては、個人的な勝ち負けは大きなトピックではない。「あいつには負けたくない」というようなモチベーションで走る人も中にはいるかもしれないし、それはそれで練習の励みにはなるだろう。しかしもし仮に特定のライバルが何かの事情でそのレースに参加できなくなり、その結果レースを走るためのモチベーションが消滅（あるいは半減）してしまった、というのではランナーとして長くはやっていけない。

一般的なランナーの多くは「今回はこれくらいのタイムで走ろう」とあらかじめ個人的目標を決めてレースに挑む。そのタイム内で走ることができれば、彼／彼女は「何かを達成した」ということになるし、もし走れなければ、「何かが達成できなかった」ことになる。もしタイム内で走れなかったとしても、やれる限りのことはやったという満足感なり、次につながっていくポジティブな手応えがあれば、また何かしらの大きな発見のようなものがあれば、たぶんそれはひとつの達成になるだろう。言い換えれば、走り終えて自分に誇り（あるいは誇りに似たもの）が持てるかどうか、それが長距離ランナーにとっての大事な基準になる。

同じことが仕事についても言える。小説家という職業に――少なくとも僕にとってはということだけれど――勝ち負けはない。発売部数や、文学賞や、批評の良し悪しは達成のひとつの目安になるかもしれないが、本質的な問題とは言えない。書いたものが自分の設定した基準に到達できているかいないかというのが何よりも大事になってくるし、それは簡単には言い訳のきかないことだ。他人に対しては何とでも適当に説明できるだろう。しかし自分自身の心をごまかすことはできない。そういう意味では小説を書くことは、フル・マラソンを走るのに似ている。基本的なことを言えば、創作者にとって、そのモチベーションは自らの中に静かに確実に存在するものであって、外部にかたちや基準を求めるべきではない。

走ることは僕にとっては有益なエクササイズであると同時に、有効なメタファーでもあった。僕は日々走りながら、あるいはレースを積み重ねながら、達成規準のバーを少しずつ高く上げ、それをクリアすることによって、自分を高めていった。少なくとも高めようと志し、そのために日々努めていた。僕はもちろんたいしたランナーではない。

走り手としてはきわめて平凡な――むしろ凡庸というべきだろう――レベルだ。しかしそれはまったく重要な問題ではない。昨日の自分をわずかにでも乗り越えていくこと、それがより重要なのだ。長距離走において勝つべき相手がいるとすれば、それは過去の自分自身なのだから。

しかし四十代も半ばを迎えてから、そういう自己査定システムが少しずつ変化を見せ始めた。簡単に言えば、レースのタイムが伸びなくなってきたのだ。年齢を考えれば、これはある程度仕方のないことだ。人は誰しも人生のある時点で身体能力のピークを迎える。もちろん個人差はあるが通常の場合、水泳選手は二十代前半で、ボクサーは二十代後半で、野球選手は三十代半ばで目には見えない「分水嶺」をまたぐ。それを避けて通ることはできない。僕がある眼科医に「世の中に老眼にならない人はいないのですか？」と質問したときに、彼はおかしそうに笑って答えた、「そんな人はついぞ見かけたことがありませんね」と。それと同じだ（ありがたいことに芸術家のピークは、人それぞれまったく違っている。たとえばドストエフスキーは六十年の人生の最後の数年間に『悪霊』と『カラマーゾフの兄弟』という、もっとも重要な意味を持つふたつの長編小説を書いた。ドメニコ・スカルラティは生涯に五百五十五曲の鍵盤用ソナタを作曲したが、その大部分を五十七歳から六十二歳のあいだに書き上げた)。

　僕の場合でいえば、四十代後半にランナーとしてのピークがやってきた。それまではフル・マラソンを3時間半の目安で走っていた。ちょうど1キロ5分、1マイル8分のペースだ。3時間半を切れることもあれば、切れないこともあった(切れないことの方が多かったけれど)。しかしその前後のタイムで、わりにすんなりとフル・マラソンを走りきることができた。今回はちょっと失敗したなというときでも、3時間40分台では走れた。ほとんど練習をしなくても、体調が多少悪くても、タイムが4時間を超えるようなことはまず考えられなかった。そういう時期が安定した台地のようにしばらく続いた。ところがそのうちに雲行きがおかしくなってきた。前と同じように練習をしていても、3時間40分台で走ることがだんだんつらくなり、1キロ5分半のペースになり、そしてついには4時間すれすれの線に近づいてきた。これはちょっとしたショックだった。いったいどうしたんだろう? それが年齢的なものだとは思いたくなかった。自分が肉体的に衰えつつあるという実感は、日常生活の上ではまだまったくなかったからだ。しかしどれだけ否定しようと、無視しようと、数字は一歩また一歩と後退していった。

　フル・マラソンのタイムがおもわしくなくなっていったせいもあるのだろう、フル・

マラソンより、更に長い距離を走る可能性に僕は目を向けるようになった。トライアスロンとか、スカッシュとかいった別のスポーツに関心を持つようになった。「走ってばかりいては身体がいびつになるかもしれない。それよりはほかの競技を組み合わせて、もっと総合的な身体に作っていった方がいいんじゃないか」と考えるようになった。

個人コーチについて水泳のフォームを基本から作りなおし、以前よりも楽に速く泳げるようになった。筋肉も新しい環境を進んで受け入れ、体型も目に見えて変化した。しかし一方でフル・マラソンのタイムは潮が引いていくみたいに、ゆっくりとではあるけれど着実に後退を続けた。走ることが以前みたいに、手放しで楽しいと思えなくなった。僕と「走ること」のあいだには、そのような緩やかな倦怠期が訪れていた。そこには払っただけの努力が報われないという失望感があり、開いているべきドアがいつの間にか閉ざされてしまったような閉塞感があった。それを僕は「ランナーズ・ブルー」と名づけた。どのような種類のブルーであったかについては、またあとで詳しく語ろう。

しかし十年ぶりにケンブリッジの町に戻ってきて（この前ここに住んだのは1993年から95年にかけての二年間だ。そのころはビル・クリントンが大統領職についていた）、チャールズ河を目の前にしたとき、「走りたいなあ」という気持ちがどこからともなくわき起こってきた。川というのは、よほど大きな変化がない限りだいたい同じように見えるものだが、チャールズ河はとりわけ昔のままに見えた。歳月が経過し、学生たちの顔ぶれが入れ替わり、僕が十年ぶん年を取り、文字通りたくさんの水が橋の下を流れていった。しかしそれにもかかわらず、川そのものはほとんど寸分の変わりもなく、昔の姿をとどめていた。滔々《とうとう》とした水の流れが、ボストン湾に向かって音もなく進んでいく。それは川岸を浸し、緑の夏草を繁らせ、水鳥たちを養い、石造りの古い橋の下をくぐり、夏空の雲を映し（冬には氷を浮かべ）、とくに急ぎもせず、休むこともなく、多くの検証をくぐり抜けてきた揺らぎのない観念のように、ただ黙々と海に向かう。

日本から持ってきた荷物を整理し、いろんな事務手続きを終え、いったんそこに生活の場を設置してしまうと、僕は再び熱心に走り始めていた。早朝のひきしまった空気を胸に吸い込みながら、走り慣れた地面を蹴って走ることの喜びが、生活の中によみがえってきた。靴音と、呼吸音と、心臓の鼓動とが絡み合って、独特のポリリズムを作りあげていく。チャールズ河はレガッタの聖地のような場所で、いつも誰かがそこで艇を漕いでいる。僕は彼らと競争するように走る。もちろんおおかたの場合レガッタの方が早い。しかし川上に向かってのんびり漕いでいく単艇とは、場合によってはいい勝負になる。

ボストン・マラソンの開催地ということもあるだろう、ケンブリッジはランナー人口の多い場所だ。チャールズ河沿いには延々とジョギング用の道路が続き、その気になればどこまでも、何時間でも走っていくことができる。ただし自転車用の道路と兼用になっているので、背後からスピードを出してやってくる自転車に常に配慮しなくてはならない。ところどころに路面の割れ目があるので、それにつまずかないように注意する。長い信号にひっかかって、待たされるのも興ざめだ。しかしそれを別にすればとても気持ちの良いコースだ。

走るときにはだいたいはロック・ミュージックを聴いている。たまにジャズを聴くこともある。しかし走るリズムにあわせることを考えると、伴走音楽としてはロックがいちばん好ましいような気がする。レッド・ホット・チリ・ペッパーズやら、ゴリラズやら、ベックやら、あるいはクリーデンス・クリアウォーター・リバイバル、ビーチ・ボーイズといった古い音楽。できるだけシンプルなリズムのものが好ましい。今では多くのランナーはｉＰｏｄを聴きながら走っているが、僕は使い慣れたＭＤの方が好きだ。

iPodに比べればいささか機械が大きいし、情報の容量は格段に少ないが、僕にはじゅうぶん事足りる。今のところは僕はまだ、音楽とコンピュータをからめたくはない。友情や仕事とセックスをからめないのと同じように。

先にも述べたように、7月は310キロ走った。雨の日が二日あり、旅行の移動で走れなかった日が二日ある。そしてぐったりするほど暑い日が何日も続いた。それを考慮すれば、310キロ走れたのは、僕としては悪くない達成だった。まったく悪くない。一カ月260キロが「まじめに走る」ということであれば、310キロは「真剣に走る」ということになるだろう。走る距離が伸びるにつれて、体重も減ってきた。二カ月半で7ポンド落ち、おなかのまわりにうっすらとつき始めていた贅肉も消えた。7ポンドというと、3キロ強になる。肉屋に行って3キロの肉を買い求め、それを手に持ってうちまで歩いて帰るところを想像していただきたい。たぶん重さを実感できるはずだ。それだけの重みを身体にくっつけて生きていたんだと思うと、けっこう複雑な気持ちになる。ボストンでの生活には、生ビール（サミュエル・アダムズのサマー・エール）とダンキン・ドーナッツは欠かせないものだが、それでも日々の執拗な運動がものを言うのだ。

僕のような年齢にさしかかった人間が、今更あらためてこんなことを書き記すのは、いささか愚かしいという気もするのだが、事実を明確にするためにいちおうお断りしておくと、僕はどちらかというと一人でいることを好む性格である。いや、もう少し正確に表現するなら、一人でいることをそれほど苦痛としない性格である。毎日一時間か二時間、誰とも口をきかずに一人きりで走っていても、四時間か五時間一人で机に向かって、黙々と文章を書いていても、とくにつらいとも、退屈だとも思わない。そういう傾向は、若いときから一貫して僕の中にあった。誰かと一緒に何かをするよりは、一人で黙って本を読んだり、集中して音楽を聴いていたりする方が好きだった。一人でやることならいくらでも思いつけた。

それでも若くして結婚をしてからは（結婚したのは二十二歳の時だ）、誰かと生活をともにすることにも少しずつ慣れていった。大学を出てからは飲食店を経営していたから、他人と関わることの重要性も覚えた。一人きりでは生きていけないんだということを——実に当たり前のことなのだが——身をもって学んだ。その結果、多少いびつなかたちをとってはいるにせよ、社会性みたいなものも徐々に身につけていった。今にして思えば、二十代の十年間で僕の世界観は少なからぬ変化を遂げたし、人間的にもいくらか成長したと思う。いろんな角っこに頭を強くぶっつけながら、生き延びるための実戦的なコツのようなものを学び取っていったわけだ。この十年間のそれなりにハードな生活体験がなかったら、小説なんて書くことはおそらくなかっただろうし、また書こうと思っても書けなかったに違いない。とはいえ、人の基本的性格はそれほどドラスティックに変わるものではない。一人きりになりたいという思いは、常に変わらず僕の中に存在した。だから一日に一時間ばかり走り、そこに自分だけの沈黙の時間を確保することは、僕の精神衛生にとって重要な意味を持つ作業になった。少なくとも走っているあいだは誰とも話さなくてもいいし、誰の話を聞かなくてもいい。ただまわりの風景を眺め、自分自身を見つめていればいいのだ。それはなにものにも換えがたい貴重なひとときだった。

走っているときにどんなことを考えるのかと、しばしば質問される。そういう質問をするのは、だいたいにおいて長い時間走った経験を持たない人々だ。そしてそのような質問をされるたびに、僕は深く考え込んでしまう。さて、いったい僕は走りながら何を考えているのだろう、と。正直なところ、自分がこれまで走りながら何を考えてきたのか、ろくすっぽ思い出せない。

たしかに寒い日には、ある程度寒さについて考える。暑い日には、ある程度暑さについて考える。悲しいときには、ある程度悲しさについて考える。楽しいときには、ある程度楽しさについて考える。前にも書いたように、昔起こった出来事を脈絡なく思い出すこともある。ときどき（そういうことはほんのたまにしか起こらないのだが）、小説のちょっとしたアイデアが頭にふと浮かぶこともある。でもそれにもかかわらず、実際にはまともなことはほとんど何も考えていない。

僕は走りながら、ただ走っている。僕は原則的には空白の中を走っている。逆の言い方をすれば、空白を獲得するために走っている、ということかもしれない。そのような空白の中にも、その時々の考えが自然に潜り込んでくる。当然のことだ。人間の心の中には真の空白など存在し得ないのだから。人間の精神は真空を抱え込めるほど強くないし、また一貫してもいない。とはいえ、走っている僕の精神の中に入り込んでくるそのような考え（想念）は、あくまで空白の従属物に過ぎない。それは内容ではなく、空白性を軸として成り立っている考えなのだ。

走っているときに頭に浮かぶ考えは、空の雲に似ている。いろんなかたちの、いろんな大きさの雲。それらはやってきて、過ぎ去っていく。でも空はあくまで空のままだ。雲はただの過客《ゲスト》に過ぎない。それは通り過ぎて消えていくものだ。そして空だけが残る。空とは、存在すると同時に存在しないものだ。実体であると同時に実体ではないものだ。僕らはそのような茫漠とした容物《いれもの》の存在する様子を、ただあるがままに受け入れ、呑み込んでいくしかない。

僕は今、五十代の後半にいる。二十一世紀などというものが実際にやってきて、自分が冗談抜きで五十代を迎えることになるなんて、若いときにはまず考えられなかった。もちろん理論的にはいつか二十一世紀は来るし、（なにごともなければ）そのときに僕が五十代を迎えているというのは自明の理なのだが、若いときの僕にとって五十代の自分の姿を思い浮かべるのは、「死後の世界を具体的に想像してみろ」と言われたのと同じくらい困難なことだった。ミック・ジャガーは若いときに「四十五歳になって『サティスファクション』をまだ歌っているくらいなら、死んだ方がましだ」と豪語した。しかし実際には彼は六十歳を過ぎた今でも『サティスファクション』を歌い続けている。そのことを笑う人々もいる。しかし僕には笑えない。若き日のミック・ジャガーには四十五歳になった自分の姿を想像することができなかったのだ。若き日の僕にもそんなことは想像できなかった。僕にミック・ジャガーを笑えるだろうか？　笑えない。僕はたまたま、若くて高名なロック・シンガーではなかった。僕が当時どんなに愚かしいことを言ったとしても、誰も覚えていないし、したがって引用されることもない。ただそれだけのことではないか。

そして現在、僕はその「想像もつかなかった」世界の中に身を置いて生きている。そう考えるとなんだかおかしくもある。そこにいる僕という人間が幸福なのか不幸なのか、自分でもうまく見きわめがつかないけれど、それは取り立てて問題にしなくてもいいことのように思える。僕にとって——あるいはほかの誰にとってもおそらくそうなのだろうが——年を取るのはこれが生まれて初めての体験だし、そこで味わっている感情も、やはり初めて味わう感情なのだ。以前に一度でも経験したことであれば、もう少しクリアにいろんなことが腑分《ふわ》けできるのだろうが、なにしろ初めてなのでそんな簡単にはいかない。だから僕としては今のところ、細かい判断みたいなことはあとにまわし、そこにあるものをあるがままに受け入れ、それとともにとりあえず生きていくしかないわけだ。ちょうど空や雲や川に対するのと同じように。そしてそこには、ある種のおかしみのようなものが間違いなく存在しているし、それは考え方によってはまんざら捨てたものでもない、という気がする。

前にも述べたように、日常生活においても仕事のフィールドにおいても、他人と優劣を競い勝敗を争うことは、僕の求める生き方ではない。つまらない正論を述べるようだけれど、いろんな人がいてそれで世界が成り立っている。他の人には他の人の価値観があり、それに添った生き方がある。僕には僕の価値観があり、それに添った生き方がある。そのような相違は日常的に細かなすれ違いを生み出すし、いくつかのすれ違いの組み合わせが、大きな誤解へと発展していくこともある。その結果故のない非難を受けたりもする。当たり前の話だが、誤解されたり非難されたりするのは、決して愉快な出来事ではない。そのせいで心が深く傷つくこともある。これはつらい体験だ。

しかし年齢をかさねるにつれて、そのようなつらさや傷は人生にとってある程度必要なことなのだと、少しずつ認識できるようになった。考えてみれば、他人といくらかなりとも異なっているからこそ、人は自分というものを立ち上げ、自立したものとして保っていくことができるのだ。僕の場合で言うなら、小説を書き続けることができる。ひとつの風景の中に他人と違った様相を見てとり、他人と違うことを感じ、他人と違う言葉を選ぶことができるからこそ、固有の物語を書き続けることができるわけだ。そして決して少なくない数の人々がそれを手に取って読んでくれるという希有な状況も生まれる。僕が僕であって、誰か別の人間でないことは、僕にとってのひとつの重要な資産なのだ。心の受ける生傷は、そのような人間の自立性が世界に向かって支払わなくてはならない当然の代価である。

僕は基本的にそう考えているし、そのような考えに添って人生を生きてきた。ある部分においては、あくまで結果的にではあるけれど、進んで孤絶を求めたかもしれない。とくに僕のような職業の人間にとっては、それは程度の差こそあれ、避けては通れない道筋である。しかしそのような孤絶感は、時として瓶からこぼれ出した酸のように、知らず知らず人の心を蝕《むしば》み、溶かしていく。それは鋭い両刃《もろは》の剣なのだ。人の心を護ると同時に、その内壁を細かく絶え間なく傷つけてもいく。そのような危険性を、自分なりに（おそらく経験的に）承知していたのだろう。だからこそ、僕は身体を絶え間なく物理的に動かし続けることによって、ある場合には極限まで追いつめることによって、身のうちに抱えた孤絶感を癒し、相対化していかなくてはならなかったのだ。意図的というよりは、むしろ直感的に。

　具体的に言おう。

　誰かに故のない（と少なくとも僕には思える）非難を受けたとき、あるいは当然受け入れてもらえると期待していた誰かに受け入れてもらえなかったようなとき、僕はいつもより少しだけ長い距離を走ることにしている。いつもより長い距離を走ることによって、そのぶん自分を肉体的に消耗させる。そして自分が能力に限りのある、弱い人間だということをあらためて認識する。いちばん底の部分でフィジカルに認識する。そしていつもより長い距離を走ったぶん、結果的には自分の肉体を、ほんのわずかではあるけれど強化したことになる。腹が立ったらそのぶん自分にあたればいい。悔しい思いをしたらそのぶん自分を磨けばいい。そう考えて生きてきた。黙って呑み込めるものは、そっくりそのまま自分の中に呑み込み、それを（できるだけ姿かたちを大きく変えて）小説という容物《いれもの》の中に、物語の一部として放出するようにつとめてきた。

　そういう性格が誰かに好かれるとは考えていない。感心してくれる人は少しくらい（たぶんほんの少し）いるかもしれない。でも好かれることはまれだ。そんな協調性に欠けた人間に、何かあるとすぐに一人で戸棚の中にひきこもろうとするような人間に、いったい誰が好意（みたいなもの）を抱けるだろう？　しかし僕は思うのだが、そもそも職業的小説家が誰かに好かれるなんていうことが原理的に可能なのだろうか？　わからないな。あるいはそういうことも世界のどこかでは可能なのかもしれない。簡単に一般化はできないだろう。しかし少なくとも僕にとっては、小説家として長い歳月にわたって小説を書き続けながら、同時に誰かに個人的に好かれることが可能であるとは、なかなか思えないのだ。誰かに嫌われたり、憎まれたり、蔑《さげす》まれたりする方が、どちらかといえばナチュラルなことみたいに思える。そうされるとほっとする、とまで言うつもりはない。僕だって他人に嫌われることを楽しんでいるわけではないのだから。

でもそれはまた別の話だ。走ることについて語ろう。

いずれにせよ、僕はもう一度「走る生活」を取り戻している。けっこう「まじめに」走り始め、今となってはかなり「真剣に」走っている。それが五十代後半を迎えた僕に何を意味することになるのか、まだよくわからない。おそらく何かを意味しているはずだ。それほどたいしたことではないかもしれないし、たいした量ではないかもしれないが、そこには何かしらの意味合いが含まれているはずだ。でも今は何はともあれ、ただひたすら走っている。意味についてはあとでまたあらためて考えればいい（あとでまたあらためて考えることは、僕の特技のひとつであり、その技術は年を追って洗練されていく）。ランニング・シューズを履き、顔と首筋に日焼け止めのクリームをたっぷり塗り、時計をセットし、路上に出る。そして走り始める。貿易風をまっすぐ顔に受け、二本の脚を律義に揃えて空を横切っていく白鷺の姿を見上げ、懐かしいラヴィン・スプーンフルの音楽に耳を澄ませながら。

レースのタイムが伸びなくなっても、それはまあ仕方あるまい、走りながらふとそう考える。僕はそれなりに年を取ったのだし、時間は取り分をとっていく。誰のせいでもない。それがゲームのルールなのだ。川が外海に向かって流れ続けるのと同じことだ。そのような自分の姿を、言うなれば自然の光景の一部として、あるがままに受け入れていくしかないのだ。それはあまり心愉しい作業ではないかもしれない。その結果見いだされたものは、とくに喜ばしい性質のものではないかもしれない。でも仕方ないじゃないか、と僕は考える。これまでの人生を僕なりに——じゅうぶんにとは言えないまでも——そこそこは楽しんできたのだから。

自慢するわけではないが（誰がそんなことを自慢できるだろう？）、僕はそれほど頭の良い人間ではない。生身の身体を通してしか、手に触ることのできる材料を通してしか、ものごとを明確に認識することのできない人間である。何をするにせよ、いったん目に見えるかたちに換えて、それで初めて納得できる。インテリジェントというよりは、むしろフィジカルな成り立ち方をしている人間なのだ。もちろん少しくらいのインテリジェンスはある。たぶん、あると思う。そういうのがまったくないと、いくらなんでも小説は書けないだろう。しかし僕は頭の中で純粋な理論や理屈を組み立てて生きていくタイプではない。思弁を燃料にして前に進んでいくタイプの人間でもない。それよりは身体に現実的な負荷を与え、筋肉にうめき声を（ある場合には悲鳴を）上げさせることによって、理解度の目盛りを具体的に高めていって、ようやく「腑《ふ》に落ちる」タイプである。言うまでもなく、そういう段階をひとつひとつ踏んでいると、ものごとの結論が出るまでに時間がかかる。手間もかかる。ときには時間がかかりすぎて、やっと腑に落ちたときにはもう手遅れだったという場合も出てくる。でも仕方ない。それがそもそもの僕という人間なのだから。

川のことを考えようと思う。雲のことを考えようと思う。しかし本質のところでは、なんにも考えてはいない。僕はホームメードのこぢんまりとした空白の中を、懐かしい沈黙の中をただ走り続けている。それはなかなか素敵なことなのだ。誰がなんと言おうと。

第２章

2005年８月14日
ハワイ州カウアイ島

人はどのようにして走る小説家になるのか

8月14日、日曜日。朝のうちに、カーラ・トーマスとオーティス・レディングの音楽をMDで聴きながら1時間15分走る。午後にはジムのプールで1300メートルを泳ぎ、夕方にはビーチに行って泳ぐ。そのあとでハナレイの町の入り口近くにある「ドルフィン・レストラン」でビールを飲み、魚料理を食べる。ワルー（walu）という白身の魚だ。炭火焼きにしてもらい、醬油をかける。つけあわせは野菜のケバブ。大きなサラダがついてくる。

8月に入ってから今日までにちょうど150キロを走った。

日常的に走り始めたのはずいぶん昔のことになる。正確にいえば1982年の秋だ。僕はそのとき三十三歳になっていた。

その少し前まで、千駄ヶ谷の駅の近くでジャズ・クラブのようなものを経営していた。大学を出てすぐ（アルバイトが忙しくて単位をいくつか取り残していたので、実際には在学中からということになるのだが）、国分寺駅の南口で店を始め、三年ほどそこで営業してから、入居していたビルの建て替えがあって都心に移転した。決して大きな店ではないが、それほど小さくもない。グランド・ピアノを置いて、クインテットがぎりぎり演奏できるくらいの店だ。昼にはコーヒーを出し、夜にはバーになる。食べるものもそこそこ出して、週末には生演奏のプログラムを組んだ。そういう店が当時はまだ珍しかったので、客も順調について、経営はまずまずというところだった。

まわりの多くの人々は、そういう趣味的な商売がうまくいくはずがないし、世間知らずの僕に経営の才覚なんてあるわけないと予測していたようだが、予測は見事にはずれたわけだ。正直言って、自分にとくに経営の才覚があるとは、僕にも思えない。失敗したらあとがないから死にものぐるいでがんばった、というだけだと思う。勤勉で我慢強く体力があるというのが、昔も今も僕の唯一の取り柄である。馬で言えば競走馬よりは、使役馬に近いだろう。僕はサラリーマンの家の子供だから、商売のことはよくわからなかったが、うちの奥さんは商家の生まれで、彼女の天性の勘みたいなものがずいぶん助けになった。いくら優良使役馬とはいえ、僕ひとりではとてもやっていけなかったはずだ。

仕事そのものはハードだった。朝から真夜中までくたくたになるまで働いた。いろんな手痛い目にもあったし、頭を抱え込むこともあったし、がっかりさせられることも多かった。しかし無我夢中で働いているうちに、だんだん人を雇って採算がとれるまでになった。そして二十代も終わりを迎えるころには、ようやくひと息つけるようになっていた。借りられるところからは借りられるだけ金を借りていたので、借金返済のめどがおおよそついたことで、やっと一段落という感じだった。それまではとにかく生き延びていくこと、水面に顔を出しておくこと、その他にはほとんど何も考えられなかった。人生の急な階段のひとつをようやく登り切って、少しばかり開けた場所に出た、ここまでたどり着けば、多少のことはあっても、あとはなんとか乗り切れるだろうという自信も生まれた。深呼吸をし、ゆっくりとまわりを見わたし、進んできた道を振り返り、次に進むべき段階について考えた。三十歳はすぐ眼前にあった。もう若者とは言えない年代に差しかかっている。それから――自分でもほとんど予想もしなかったことなのだけれど――小説を書こうと思い立った。

小説を書こうと思い立った日時はピンポイントで特定できる。1978年4月1日の午後一時半前後だ。その日、神宮球場の外野席で一人でビールを飲みながら野球を観戦していた。神宮球場は住んでいたアパートから歩いてすぐのところにあり、僕は当時からかなり熱心なヤクルト・スワローズのファンだった。空には雲ひとつなく、風は暖かく、文句のつけようのない素敵な春の一日だった。そのころの神宮球場の外野にはベンチシートがなく、斜面にただ芝生が広がっているだけだった。その芝生に寝ころんで、冷たいビールをすすり、ときどき空を見上げながらのんびりと試合を眺めていた。観客は――いつものように――多くはなかった。ヤクルトはシーズンの開幕ゲームの相手として、広島カープを本拠地に迎えていた。ヤクルトのピッチャーは安田だったと記憶している。ずんぐりとした小柄な投手で、ひどくいやらしい変化球を投げる。安田は1回の広島打線を簡単に零点に抑えた。そしてその回の裏、先頭バッターのデイブ・ヒルトン（アメリカから来たばかりの新顔の若い内野手だ）がレフト線にヒットを打った。バットが速球をジャストミートする鋭い音が球場に響きわたった。ヒルトンは素速く一塁ベースをまわり、易々と二塁へと到達した。僕が「そうだ、小説を書いてみよう」と思い立ったのはその瞬間のことだ。晴れわたった空と、緑色をとり戻したばかりの新しい芝生の感触と、バットの快音をまだ覚えている。そのとき空から何かが静かに舞い降りてきて、僕はそれをたしかに受け取ったのだ。

小説家になろうというような野心があったわけではない。僕としては何はともあれ無心に小説というものが書きたかった。何を書こうという具体的なイメージもないまま、「今なら何か自分なりに手応えのあるものが書けるんじゃないか」と感じたのだ。うちに帰って机に向かい、さあ何かを書こうとして気がついたのだが、僕はまともな万年筆ひとつ持っていなかった。新宿の紀伊國屋書店に行って、原稿用紙を一束と、千円くらいのセーラーの万年筆を買ってきた。ささやかな資本投下だ。

それが春のことで、秋には四百字詰めにして二百枚くらいの作品を書き終えた。書き終えて気持ちはさっぱりとした。できあがった作品をどうすればいいのかよくわからないまま、勢いのようなもので、文芸誌の新人賞に応募してみた。応募時にコピーをとらなかったところを見ると、落選して原稿がそのままどこかに消え失せてしまってもべつにかまわないと思っていたようだ。現在『風の歌を聴け』というタイトルで出版されている作品だ。僕としては作品が日の目を見るか見ないかよりは、それを書きあげること自体に関心があったわけだ。

その秋には、万年負け犬だったヤクルト・スワローズがリーグ優勝して日本シリーズに進出し、阪急ブレーブスを破って日本一になった。僕はわくわくしながら、シリーズがおこなわれていた後楽園球場に何度か足を運んだ（ヤクルト球団はまさか優勝するとは思っていなかったので、ホームグラウンドである神宮球場の使用権を六大学野球にゆずっていた）。だから、その年の秋のことは鮮やかに記憶している。素晴らしい天候が続く、とりわけ美しい秋だった。空が抜けるように高く、絵画館前の銀杏並木がいつにもましてくっきりと黄金色に輝いていた。僕にとっては二十代最後の秋だった。

翌年の春の始めに「群像」の編集部から「あなたの作品が最終選考に残りました」という電話がかかってきたときには、自分が新人賞に応募したことなんてすっかり忘れていた。日々の生活があまりにも忙しかったからだ。急にそう言われても最初のうちは何のことやらよく理解できなかった。「はあ？」という感じだった。いずれにせよその作品は新人賞をとり、単行本として夏に出版された。本はそこそこの評判になった。僕は三十歳にして、何がなんだかよくわけのわからないまま、そんなつもりもないまま、新進小説家としてデビューを遂げることになった。僕も驚いたけど、まわりの人々はもっと驚いただろう。

そのあと、店を経営しながら『1973年のピンボール』という二作めのそれほど長くない長編小説を書き上げ、合間にいくつかの短編小説を書き、スコット・フィッツジェラルドの短編小説の翻訳までやった。『風の歌を聴け』と『1973年のピンボール』は芥川賞の候補になり、どちらも有力候補と言われたのだが、賞は結局とれなかった。でも僕としては正直なところ、どっちでもいいやと思っていた。とればとったで取材やら執筆依頼やらが続々舞い込んでくるだろうし、そんなことになったら店の営業に差し支えるんじゃないかと、そっちの方がむしろ心配だった。

店を経営し（帳簿をつけ、仕入れをチェックし、従業員の日程を調整し）、自分でも毎日カウンターの中に入ってカクテルや料理を作り、真夜中に店を閉め、家に帰ってきてから台所のテーブルに向かって眠くなるまで原稿を書く、という生活を三年近く続けた。普通の人の二倍くらいの人生を生きているような気がしたものだ。もちろん肉体的にきつい毎日だったし、小説を書きながら客商売をしていることで、様々な種類の面倒も降りかかってきた。客商売というのはやってくる人を選り好みできない仕事である。

どんな人が来ても（よほどひどい相手でもない限り）、にっこりと頭を下げ、「いらっしゃいませ」と言わなくてはならない。おかげで数多くの不思議な人々に巡り合うことになったし、思いもよらぬ奇妙な体験もした。そういう生活の中で、僕はいろんなものごとを素直に、意欲的に吸収していった。おおむねのところ僕は新しい人生の展開と、それが与えてくれる新しい刺激を、前向きに楽しんでいたと思う。

しかしもっと柄の大きな、しっかりした内容の小説を書きたいという気持ちが、次第に強くなっていった。最初の二冊の小説、『風の歌を聴け』と『１９７３年のピンボール』は基本的には、書くという行為を楽しむために書いた作品であって、出来そのものには自分でももうひとつ納得できないところがあった。仕事の合間に三十分、一時間と、細切れの時間を見つけては原稿用紙に向かい、疲れた身体で、時間と競争するみたいなかっこうで筆を走らせていたから、気持ちもなかなか集中できない。そんなばらばらな書き方をしていたら、ある程度面白いもの、目新しいものが書けたとしても、深い内容を持った、奥行きのある小説は書けない。せっかく小説家としてやっていく機会をこうして与えられたのだ（言うまでもないことだが、誰もがそんな幸運に恵まれるわけではない）、やれるだけのことはやってみたい、自分でも「これなら」と思える小説を一冊でもいいから完成させたい——そんな欲が出てくるのは自然なことだった。「自分にはもっと大柄な作品が書けるはずだ」という思いもあった。そして熟考の末に、店をひとまずたたんで、一定期間小説の執筆に専念することにした。その時点では、小説家としての収入よりは店からの収入の方が大きかったわけだが、そのへんは思い切ってあきらめるしかない。

まわりの多くの人々は、僕の決断に反対した。あるいは深く首を傾《かし》げた。「店がせっかく軌道に乗っているんだから、経営を誰かにまかせて、自分はどっかで好きに小説を書いていればいいじゃないか」と彼らは忠告してくれた。それは世間的にみれば、筋の通った考え方だったと思う。そして多くの人々はおそらく当時、僕が専業作家として生き延びていけるとは予想していなかったのだろう。でもみんなの忠告に従うことはできなかった。僕はたとえどんなことであれ、何かをするからには、全面的にコミットしていないと落ち着かない性格である。店は適当に誰かにまかせて、自分は別のところで小説を書いているなんて器用なことはとてもできない。全力を尽くして取り組んで、それでうまくいかなかったならあきらめもつく。しかしもし中途半端なことをして失敗したら、あとあと悔いが残るだろう。

だから周囲の反対を押し切って、店の権利をそっくり譲渡し、いささか面はゆくはあったけれど「小説家」という看板を掲げて生きていくことにした。「とにかく二年間は僕の自由にさせてほしい。それでだめならまたどこかで小さな店を開けばいいじゃないか。まだ若いんだし、やりなおしはきくよ」と妻には言った。「いいよ」と彼女は言った。その時点では借金はまだけっこう残っていたが、まあなんとかなるだろう。それが1981年のことだ。やれるだけのことはやってみよう。

腰を据えて長編小説の執筆にかかり、その年の秋には小説の取材のために一週間ほど北海道を旅行した。そして翌年の4月までに長編小説『羊をめぐる冒険』を書きあげた。なにしろあとがないから、持てる力をありったけ注ぎ込んで書いた。持っていない力まで総動員したような気さえする。『風の歌を聴け』と『1973年のピンボール』よりずっと長く、外郭も大きく、物語性の強い作品だ。

この小説を書き上げたとき、自分なりの小説スタイルを作りあげることができたという手応えがあった。また時間を気にせずに好きなだけ机に向かい、毎日集中して物語を書けるというのがどれくらい素晴らしいことなのか（そして大変なことなのか）、身体全体で会得《えとく》できた。自分の中にまだ手つかずの鉱脈のようなものが眠っているという感触も得たし、「これなら、この先も小説家としてやっていけるだろう」という見通しも生まれた。そんなわけで結局、〈またどこかで小さな店を開く〉という事態が生じることはなかった。今でもときどき、またどこかで小さな気持ちの良い店をやってみたいな、という気持ちは起きるのだが。

『羊をめぐる冒険』はいわゆる「主流文学」を追求する当時の「群像」編集部にはまったく気に入られず、ずいぶん冷遇されたという記憶がある。僕の考える小説の姿かたちは、そのころにあっては（今はどうなのだろう？）かなり異端なものだったようだ。でも読者はこの作品を熱く歓迎してくれたし、僕にとってはそれがいちばん嬉しいことだった。この作品が小説家としての実質的な出発点だったと僕自身は考えている。店を経営しながら『風の歌を聴け』や『１９７３年のピンボール』みたいな感覚的な作品を書き続けていたら、早晩行き詰まって、何も書けなくなっていたかもしれない。

ところで、専業小説家になったばかりの僕がまず直面した深刻な問題は、体調の維持だった。もともと放っておくと肉がついてくる体質である。これまでは日々激しい肉体労働をしていたので、体重は低値安定状態に抑えられていたのだが、朝から晩まで机に向かって原稿を書く生活を送るようになると、体力もだんだん落ちてくるし、体重が増えてくる。神経を集中するから、つい煙草も吸いすぎてしまう。そのころは一日に六十本の煙草を吸っていた。指が黄色くなり、身体じゅうが煙草くさくなった。これはいくらなんでも身体によくない。これからの長い人生を小説家として送っていくつもりなら、体力を維持しつつ、体重を適正に保つための方法を見つけなくてはならない。

本格的に日々走るようになったのは、『羊をめぐる冒険』を書き上げたあと、少ししてからだと思う。専業小説家としてやっていこうと心を決めたのと前後しているかもしれない。

走ることにはいくつかの大きな利点があった。まずだいいちに仲間や相手を必要としない。特別な道具や装備も不要だ。特別な場所まで足を運ばなくてもいい。ランニングに適したシューズがあり、まずまずの道路があれば、気が向いたときに好きなだけ走ることができる。テニスではそうはいかない。いちいちテニスコートまで出かけなくてはならないし、相手も必要だ。水泳なら一人でできるが、泳ぐためには適当なプールを見つけなくてはならない。僕は店をたたんでから、生活を変えようということもあって、千葉県の習志野に引っ越してきたのだが、当時そのあたりはまったく草深い田舎で、近所にはまともなスポーツ施設みたいなものはひとつもなかった。それでも道路だけはちゃんとあった。自衛隊の基地が近くにあったので、車両移動のために道路はよく整備されていた。それからうまい具合にうちの近くに日大のグラウンドがあり、朝の早いうちならそこの400メートル・トラックを自由に（というか無断で）使わせてもらうことができた。だから僕はスポーツ種目として、ほとんど迷うことなく――あるいは選択の余地なくというべきか――ランニングを選択した。

それからほどなく煙草をやめた。日々走るようになれば、喫煙をやめるのは自然の成り行きである。もちろん禁煙は簡単なことではなかったが、煙草を吸いながら日々のランニングを続けるわけにはいかない。「もっと走りたい」という自然な思いは、禁煙を続けるための重要なモチベーションになったし、禁断症状を乗りきるための大きな助けになったと思う。煙草をやめることは、以前の生活との訣別の象徴のようなものだった。

僕はもともと、長距離を走ることが嫌いではない。学校の体育の時間は好きになれなかったし、運動会みたいなものにはつくづくうんざりさせられた。しかしそれは上から「さあ、やれ」と強要された運動だったからだ。自分のやりたくないことを、自分のやりたくないときにやらされることに、昔から我慢できない。そのかわり自分がやりたいことを、自分がやりたいときに、自分がやりたいようにやらせてもらえたら、人並み以上に一生懸命やる。運動神経や反射神経がとくに優れているわけではないので、短期決戦型のスポーツは苦手だが、長距離を走ったり泳いだりすることは、僕のもともとの性分に合っていた。自分でもそれはある程度わかっていた。だからこそそれほどの違和感なく、走ることを比較的すんなりと生活の一部として取り込んでいけたのだと思う。

走ることとは関係ないけれど、話が少し脇道にそれることを許していただけるなら、僕の場合、勉学についてもだいたいそれと同じことが言えた。小学校から大学にいたるまで、ごく一部を例外として、学校で強制的にやらされる勉強に、おおよそ興味が持てなかった。これはやらなくてはならないことなんだからと自分に言い聞かせて、ある程度のことはやってなんとか大学にまで進んだけれど、勉学を面白いと思ったことはほとんど一度もなかった。だから表に出せないようなひどい成績をとっていたわけでもないのだが、良い成績をとってほめられたとか、何かで一番になったとか、そういう晴れがましい記憶は一切ない。僕が勉強することに興味を覚えるようになったのは、所定の教育システムをなんとかやり過ごしたあと、いわゆる「社会人」になってからである。自分が興味を持つ領域のものごとを、自分に合ったペースで、自分の好きな方法で追求していくと、知識や技術がきわめて効率よく身につくのだということがわかった。たとえば翻訳技術にしても、そのようにして自己流で、いわば身銭を切りながらひとつひとつ身につけてきた。だから一応のかたちがつくまでに時間もかかったし、試行錯誤も重ねたが、そのぶん学んだことはそっくり身についた。

専業小説家になって何よりも嬉しかったのは、早寝早起きができることだった。店をやっているときは、ベッドに入るのが夜明け前ということも少なくなかった。十二時に店を閉め、それからあと片づけをして、伝票の計算をし、テンションを静めるために雑談をし、少し酒を飲む。そんなことをしていれば、すぐに午前三時くらいになってしまう。となると、もう明け方も近い。台所のテーブルに向かって一人で原稿を書いていると、東の空がだんだん白んでくるということもよくあった。当然ながら、目を覚ますころには太陽は既に中空に上がっている。

店をやめて小説家としての生活を始めたとき、我々——というのは僕とうちの奥さんのことだ——がまず最初にやったのは、生活のパターンを一新することだった。太陽がのぼるころに目覚め、暗くなったらなるべく早く寝てしまおう、と決めた。それが我々の考える自然な生活だった。まっとうな人間の暮らしだった。もう客商売はやめたんだから、これからは会いたいと思う人にだけ会って、会いたくない人にはなるべく会わずにすませよう。そういうささやかな贅沢が、少なくともしばらくは許されていいはずだと僕らは感じていた。繰り返すようだけれど、僕はもともと人づきあいの良い人間ではない。どこかで本来の自分のあり方に復帰する必要があった。

我々は、七年間にわたる「開かれた」生活から、「閉じられた」生活へと大きく舵《かじ》を切ったわけだ。そのような「開かれた」生活が、僕の人生のある時点にある期間存在したのは、善きことであったと思う。今にして思えば、そこから多くの大事なものごとを学んだ。その時期は僕にとっての、人生の総合的な教育期間みたいなものであり、僕にとっての真の学校だった。しかしそんな生活をいつまでも続けるわけにはいかない。学校というのは入って、何かを身につけ、そして出ていくところなのだ。

そのようにして朝の五時前に起きて、夜の十時前には寝るという、簡素にして規則的な生活が開始された。一日のうちでいちばんうまく活動できる時間帯というのは、人によってもちろん違うはずだが、僕の場合のそれは早朝の数時間である。その時間にエネルギーを集中して大事な仕事を終えてしまう。そのあとの時間で運動をしたり、雑用をこなしたり、あまり集中を必要としない仕事を片づけていく。日が暮れたらのんびりして、もう仕事はしない。本を読んだり、音楽を聴いたり、リラックスして、なるべく早いうちに寝てしまう。おおよそこのパターンで今日まで日々を送ってきた。おかげでこの二十年ばかり、仕事はとても効率よくはかどったと思う。ただしこういう生活をしていると、ナイトライフみたいなものはほとんどなくなってしまうし、人づきあいは間違いなく悪くなっていく。腹を立てる人も出てくる。どこかに行こう、何かをやろうという誘いがあっても、片端から断ることになるからだ。

ただ僕は思うのだが、本当に若い時期を別にすれば、人生にはどうしても優先順位というものが必要になってくる。時間とエネルギーをどのように振り分けていくかという順番作りだ。ある年齢までに、そのようなシステムを自分の中にきっちりこしらえておかないと、人生は焦点を欠いた、めりはりのないものになってしまう。まわりの人々との具体的な交遊よりは、小説の執筆に専念できる落ち着いた生活の確立を優先したかった。僕の人生にとってもっとも重要な人間関係《リレーションシップ》とは、特定の誰かとのあいだというよりは、不特定多数の読者とのあいだに築かれるべきものだった。僕が生活の基盤を安定させ、執筆に集中できる環境を作り、少しでも質の高い作品を生み出していくことを、多くの読者はきっと歓迎してくれるに違いない。それこそが小説家としての僕にとっての責務であり、最優先事項ではないか。そういう考え方は今でも変わっていない。読者の顔は直接見えないし、それはある意味ではコンセプチュアルな人間関係である。しかし僕は一貫して、そのような目には見えない「観念的な」関係を、自分にとってもっとも意味あるものと定めて人生を送ってきた。

「みんなにいい顔はできない」、平ったく言えばそういうことになる。

店を経営しているときも、だいたい同じような方針でやっていた。店にはたくさんの客がやってくる。その十人に一人が「なかなか良い店だな。気に入った。また来よう」と思ってくれればそれでいい。十人のうちの一人がリピーターになってくれれば、経営は成り立っていく。逆に言えば、十人のうちの九人に気に入ってもらえなくても、べつにかまわないわけだ。そう考えると気が楽になる。しかしその「一人」には確実に、とことん気に入ってもらう必要がある。そしてそのためには経営者は、明確な姿勢と哲学のようなものを旗じるしとして掲げ、それを辛抱強く、風雨に耐えて維持していかなくてはならない。それが店の経営から身をもって学んだことだった。

『羊をめぐる冒険』のあと、僕はそういう姿勢で小説を書き続けた。読者の数も作品ごとに伸びていった。何よりも嬉しかったのは、僕の作品には熱心な読者が多いことだった。つまり「十人に一人」のリピーターが着実についていったわけだ。彼らは（その多くは年若い読者だった）僕の次の作品を我慢強く待ち続け、本が出れば手にとって読んでくれた。そういう体制がだんだんできあがってきた。それは僕にとっては理想的な——少なくともとても居心地の良い——状況だった。トップ・ランナーになる必要はない。自分の書きたいものを書きたいように書いて、それで人並みの生活を送ることができれば、僕としては何の不足もなかった。『ノルウェイの森』が予想もしない売れ方をしたことによって、そのような「気持ちの良い」ポジションはいくぶんの変更を迫られることになるのだが、それはもっとあとの話だ。

走り始めてしばらくは、それほど長い距離を走ることができなかった。二十分か、せいぜい三十分程度だったと思う。それくらいで、はあはあと息が上がってしまった。心臓がどきどきして、脚がふらついた。長いあいだ運動らしい運動をしていなかったのだから仕方ない。走っているところを近所の人に見られるのも、なんとなく気恥ずかしかった。たまに名前の後ろに入れられるカッコつきの（小説家）という肩書きが気恥ずかしいのと同じくらい気恥ずかしかった。しかし継続して走っているうちに、走ることを身体が積極的に受け止めていくようになったし、それにつれて距離も少しずつ伸びていった。フォームらしいものができて、呼吸のリズムも安定し、脈拍も落ち着いてきた。スピードや距離はともかく、なるべく休みを作らないように、毎日走ることをだいいちに心がけた。

そのようにして走るという行為が、三度の食事や、睡眠や、家事や、仕事と同じように、生活サイクルの中に組み込まれていった。走るのはごく当たり前の習慣になり、気恥ずかしさのようなものも薄れていった。スポーツ専門店に行って、目的にあったしっかりしたシューズと、走りやすいウェアを買ってきた。ストップ・ウォッチを手に入れ、ランニングの初心者のために書かれた本も買って読んだ。そのようにして人はランナーになっていく。

今にして思えば何よりも幸運だったのは、僕が丈夫な身体に生まれてきたことだった。ほとんど四半世紀にわたって日常的に走り続け、数多くのレースにも出場しているわけだが、脚が痛くて走れなかったという時期が一度としてなかった。ストレッチなんてろくにやらないのだが、故障ひとつ、怪我ひとつ、病気ひとつしたことがない。優れたランナーではまったくないけれど、丈夫なランナーであることだけは間違いない。僕が誇りにできる数少ない自己資質のひとつである。

年が明け１９８3年になって、生まれて初めてロードレースというものに出場した。5キロの短いものだったが、ゼッケンをつけて、たくさんの人に混じって「よーい、どん」で走ってみて、「けっこう走れるじゃないか」という感触を持った。5月には山中湖で15キロのレースを走り、6月には、どれくらい長い距離を走れるものか試してみようと思って、一人で皇居のまわりをぐるぐる走ってみた。7周、35キロをまずまずのペースで走って、それほどの苦痛は感じなかった。脚もまったく痛くない。これならフル・マラソンだって走れるかな、と僕は思った。フル・マラソンのもっとも苦痛に満ちた部分は35キロを過ぎてからやってくるのだ、という事実を身にしみて知ったのは後日のことである。

このころの自分の写真を見てみると、身体はまだまだランナーの体型にはなっていない。走り込みが足りなくて、必要な筋肉がついていないから、腕や脚は見るからにひょろっとしているし、太腿も細い。よくフルを走れたものだなと感心してしまう。今の僕の体つきと比較すると、まるで別人みたいだ（長く走り続けていると、身体の筋肉の配置がからりと変わってしまう)。でもそのころにも、走りながら、自分の身体の組成が日々変化を遂げているという感触があったし、それは心嬉しいことでもあった。三十歳を過ぎた今でも、僕という人間の中には、まだそれなりに可能性が残されていたのだなと感じた。そのような未知の部分が、走ることによって少しずつ明らかにされつつあるのだ。

そのうちに、増加気味だった体重もだんだん落ち着くべきところに落ち着いてきた。毎日運動をしていると自分の適正体重が自然に定まってくる。いちばん体を動かし易いポイントが見えてくるわけだ。それにつれて食べるものも少しずつ変化してきた。食事は野菜が中心になり、蛋白質は主に魚からとるようになった。もともと肉はあまり好きではないのだが、その傾向がますますはっきりしてきた。米飯を少なくし、酒量を減らし、自然素材の調味料を使う。甘いものはもともと好きではない。

前にも述べたように、僕は何もしないで放っておくとじわじわ太っていく体質である。それとは対照的に、うちの奥さんはどれだけ食べても(量は食べないけれど、何かあると甘いものを食べる)、運動をしなくても、太るということがまったくない。贅肉もつかない。そのことで僕はよく「人生は不公平だよな」と思ったものだった。ある人が努力しないことには得られないものを、ある人は努力しないでどんどん得ていく。

しかし考えてみれば、そういう太りやすい体質に生まれたことは、かえって幸運だったのかもしれない。つまり僕の場合、体重を増やさないためには、毎日ハードに運動をし、食事に留意し、節制しなくてはならない。しんどい人生だ。しかしそのような努力を怠りなく続けていると、代謝が高い水準で保たれ、結果的に身体は健康になり、頑丈になっていく。老化もある程度は軽減されるだろう。ところが何をしなくても太らない体質の人は、運動や食事に留意する必要がない。また必要もないのにそんな面倒なことを進んでやろうという人は、それほど多くないはずだ。だから年齢を重ねるにつれて、体力が次第に衰えていく場合が多い。意識的に手入れをしていないと、自然に筋肉が落ちて、骨が弱くなっていくものなのだ。何が公平かというのは、長い目で見てみないとよくわからないものである。これを読んでいる人の中にも、「いや、ちょっと油断するとすぐに体重が増えてしまって……」という悩みをお持ちの方がいらっしゃるかもしれない。しかしそれは、前述したような理由で、むしろ天から与えられた幸運なのだと、ポジティブな方向に考えるべきではないだろうか。赤信号が見えやすいだけラッキーなのだと。まあ、なかなかそんな風には思えないですけどね。

考えてみれば、このような観点は小説家という職業にも、あてはめられるかもしれない。生まれつき才能に恵まれた小説家は、何をしなくても（あるいは何をしても）自由自在に小説を書くことができる。泉から水がこんこんと湧き出すように、文章が自然に湧き出し、作品ができあがっていく。努力をする必要なんてない。そういう人がたまにいる。しかし残念ながら僕はそういうタイプではない。自慢するわけではないが、まわりをどれだけ見わたしても、泉なんて見あたらない。鑿《のみ》を手にこつこつと岩盤を割り、穴を深くうがっていかないと、創作の水源にたどり着くことができない。小説を書くためには、体力を酷使し、時間と手間をかけなくてはならない。作品を書こうとするたびに、いちいち新たに深い穴をあけていかなくてはならない。しかしそのような生活を長い歳月にわたって続けているうちに、新たな水脈を探り当て、固い岩盤に穴をあけていくことが、技術的にも体力的にもけっこう効率よくできるようになっていく。だからひとつの水源が乏しくなってきたと感じたら、思い切ってすぐに次に移ることができる。自然の水源にだけ頼ってきた人は、急にそれをやろうと思っても、そうすんなりとはできないかもしれない。

人生は基本的に不公平なものである。それは間違いのないところだ。しかしたとえ不公平な場所にあっても、そこにある種の「公正さ」を希求することは可能であると思う。それには時間と手間がかかるかもしれない。あるいは、時間と手間をかけただけ無駄だったね、ということになるかもしれない。そのような「公正さ」に、あえて希求するだけの価値があるかどうかを決めるのは、もちろん個人の裁量である。

毎日走り続けていると言うと、そのことに感心してくれる人がいる。「ずいぶん意志が強いんですね」とときどき言われる。ほめてもらえればもちろん嬉しい。けなされるよりはずっといい。しかし思うのだけれど、意志が強ければなんでもできてしまう、というものではないはずだ。世の中はそれほど単純にはできていない。というか正直なところ、日々走り続けることと、意志の強弱とのあいだには、相関関係はそれほどないんじゃないかという気さえする。僕がこうして二十年以上走り続けていられるのは、結局は走ることが性に合っていたからだろう。少なくとも「それほど苦痛ではなかった」からだ。人間というのは、好きなことは自然に続けられるし、好きではないことは続けられないようにできている。そこには意志みたいなものも、少しくらいは関係しているだろう。しかしどんなに意志が強い人でも、どんなに負けず嫌いな人でも、意に染まないことを長く続けることはできない。またたとえできたとしても、かえって身体によくないはずだ。

だから僕はランニングをまわりの誰かに勧めたことは一度もない。「走るのは素晴らしいことだから、みんなで走りましょう」みたいなことは、極力口にするまいと思っている。もし長い距離を走ることに興味があれば、放っておいても、人はいつか自分から走り出すだろうし、興味がなければ、どれだけ熱心に勧めたところで無駄だ。マラソンは万人に向いたスポーツではない。小説家が万人に向いた職業ではないのと同じように。僕は誰かに勧められたり、求められたりして小説家になったわけではない（止められこそすれ）。思うところあって勝手に小説家になった。それと同じように、人は誰かに勧められてランナーにはならない。人は基本的には、なるべくしてランナーになるのだ。

とはいえこういう文章を読んで興味を持ち、「じゃあ、ちょっと走ってみようか」と思って実際に走ってみたら、「おお、けっこう楽しいじゃないか」というようなことがあるかもしれない。それはもちろん麗しい展開ではある。もしそういうことがあれば、この本の著者としてもたいへん嬉しい。しかし人には向き不向きがある。フル・マラソンに向いている人もいれば、ゴルフに向いている人もいれば、賭けごとに向いている人もいる。学校で体育の時間に、生徒全員に長距離を走らせている光景を目にするたびに、僕はいつも「気の毒になあ」と同情してしまう。走ろうという意欲のない人間に、あるいは体質的に向いていない人間に、頭ごなしに長距離を走らせるのは意味のない拷問だ。無駄な犠牲者が出ないうちに、中学生や高校生に画一的に長距離を走らせるのはやめた方がいいですよと忠告したいんだけど、まあ、そんなことを僕ごときが言っても、きっと誰も耳を貸してはくれまい。学校とはそういうところだ。学校で僕らが学ぶもっとも重要なことは、「もっとも重要なことは学校では学べない」という真理である。

しかしいくら長い距離を走ることが性に合っていると言っても、やはり「今日は身体が重いなあ。なんとなく走りたくないな」という日はある。というか、しばしばある。そういうときにはいろんなもっともらしい理由をつけて、走るのを休んでしまいたくなる。オリンピック・ランナーの瀬古利彦さんに一度インタビューをしたことがある。現役を退いてS&Bチームの監督に就任した少しあとのことだ。そのときに僕は「瀬古さんくらいのレベルのランナーでも、今日はなんか走りたくないな、いやだなあ、家でこのまま寝てたいなあ、と思うようなことってあるんですか？」と質問してみた。瀬古さんは文字通り目をむいた。そして〈なんちゅう馬鹿な質問をするんだ〉という声で「当たり前じゃないですか。そんなのしょっちゅうですよ！」と言った。

今にして思えば、我ながらたしかに愚問だったと思う。いや、そのときだってそれが愚問であることはわかっていた。しかしそれでも、僕は瀬古さんの口から、直接その答えを聞いてみたかったのだ。たとえ筋力や運動量やモチベーションのレベルが天と地ほど違っていたとしても、朝早く起きてランニング・シューズの紐を結ぶときに、彼が僕と同じような思いをしたことがあるのかどうかを。そして瀬古さんのそのときの答えは、僕を心底ほっとさせてくれた。ああ、やっぱりみんな同じなんだ、と。

個人的なことを言わせていただければ、僕は「今日は走りたくないなあ」と思ったときには、常に自分にこう問いかけるようにしている。おまえはいちおう小説家として生活しており、好きな時間に自宅で一人で仕事ができるから、満員電車に揺られて朝夕の通勤をする必要もないし、退屈な会議に出る必要もない。それは幸運なことだと思わないか？（思う）。それに比べたら、近所を一時間走るくらい、なんでもないことじゃないか。満員電車と会議の光景を思い浮かべると、僕はもう一度自らの志気を鼓舞し、ランニング・シューズの紐を結び直し、比較的すんなりと走り出すことができる。「そうだな、これくらいはやらなくちゃバチがあたるよな」と思って。もちろん一日に平均一時間走るよりは、混んだ通勤電車に乗って会議に出た方がまだましだよ、という人が数多くおられることは承知の上で申し上げているわけだが。

いずれにせよ、僕はそのようにして走り始めた。三十三歳。それが僕のそのときの年齢だった。まだじゅうぶん若い。でももう「青年」とは言えない。イエス・キリストが死んだ歳だ。スコット・フィッツジェラルドの凋落《ちょうらく》はそのあたりから既に始まっていた。それは人生のひとつの分岐点みたいなところなのかもしれない。そういう歳に僕はランナーとしての生活を開始し、おそまきながら小説家としての本格的な出発点に立ったのだ。

第3章 | 2005年9月1日
ハワイ州カウアイ島

真夏のアテネで最初の42キロを走る

昨日で8月が終わった。この一カ月（三十一日間）に走った距離を計算すると、全部で350キロになる。

6月　260キロ（週に60キロ）
7月　310キロ（週に70キロ）
8月　350キロ（週に80キロ）

目標は11月6日に開催されるニューヨーク・シティー・マラソン。そのための調整という観点からみれば、ものごとはおおむね順調に運んでいる。レースの五カ月前から計画的に走り込みを始め、段階的に走行距離を伸ばしてきたわけだから。

カウアイ島の8月は天候に恵まれ、雨で走れない日がただの一日もなかった。たまに雨は降ったけれど、火照《ほて》った身体をうまく冷やしてくれる程度の、心地よい雨だった。カウアイ・ノースショアの夏は比較的天気はいいのだが、それでもこんなに晴天が続くのは珍しい。おかげで心ゆくまで走り込むことができた。身体のコンディションも問題ない。日々の走行距離を少しずつ上げていっても、身体はとくに悲鳴を上げなかった。怪我もなく、痛みもなく、それほどの疲労感もなく、この三カ月の走り込みを終えた。

夏バテもなかった。僕はとくに夏バテ対策というのはとらない。あえて言うなら、冷たいものはあまり口にしないように日常的に心がけているというくらいだ。そして果物と野菜を積極的にとるようにする。マンゴーやパパイヤやアボカドといった新鮮な果物が安価に手に入る（文字通りそのへんの軒先になっているわけだが）ハワイは、僕の夏場の食生活にとっては理想的な場所だった。しかしこういうのもすべて「夏バテ対策」というよりは、あくまで身体が自然に「そうしてください」と求めてくることなのだ。毎日身体を動かしていると、そういう声が聞こえやすくなってくる。

もうひとつの健康法は昼寝をすることだ。僕は実によく昼寝をする。だいたいは昼食のあとで眠気を感じ、ソファにごろりと横になって、そのままうとうとと眠る。三十分くらいでぱっと目が覚める。目が覚めたときには身体のだるさが消えて、頭はとてもすっきりしている。南欧でいうシエスタ。これはイタリアに住んでいた時期に身についた習慣であるように記憶しているのだが、あるいはそうではないかもしれない。もともとが昼寝好きの性格だったのかもしれない。とにかく僕はいったん眠くなれば、どんなところでもすぐに熟睡してしまえる体質で、これは健康維持という観点から見ればまことに慶賀すべき特技である。ただ熟睡するべきではない局面でつい熟睡してしまうこともあって、ときとして問題を引き起こす。

体重も順調に落ち、顔つきも少しすっきりしてきた。自分の身体がこうして変化していくのを感じとれるのは、いいことだ。ただし若いときよりは変化に時間がかかるようになった。一カ月半でできたことが、三カ月かかるようになる。運動量と達成されたものごととの効率も、目に見えて悪くなってくる。しかしそれは仕方ない、あきらめて、手に入るものだけでやっていくしかない。それが人生の原則だし、それに効率の善し悪しだけが我々の生き方の価値を決する基準ではないのだ。ところで僕の通っている東京のジムには「筋肉はつきにくく、落ち易い。贅肉はつき易く、落ちにくい」という貼り紙がしてある。いやな事実だけど、事実は事実ですね。

8月がそのように手を振りながら去って（手を振っているように見えた）9月に入ると、練習のスタイルが一変する。これまでの三カ月は「とにかく距離を積み上げていこう」ということで、むずかしいことは考えず、徐々にペースを上げながら日々ひたすらに走ってきた。総合的な体力の土台造りをしてきたわけだ。スタミナをつけ、各部の筋力をアップし、肉体的にも心理的にもはずみをつけ、志気を高めていく。そこでの重要なタスクは、「これくらい走るのが当たり前のことなんだよ」と身体に申し渡すことだ。「申し渡す」というのはもちろん比喩的表現であって、いくら言葉で言いつけたところで、身体は簡単に言うことを聞いてくれない。身体というのはきわめて実務的なシステムなのだ。時間をかけて断続的に、具体的に苦痛を与えることによって、身体は初めてそのメッセージを認識し理解する。その結果、与えられた運動量を進んで（とは言えないかもしれないが）受容するようになる。そのあとで我々は、運動量の上限を少しずつ上げていく。少しずつ、少しずつ。身体がパンクしない程度に。

9月に入り、本番のレースを二カ月後に控えて、トレーニングは調整期に入っていく。ロングとショート、ソフトとハードというめりはりをつけることによって、「量の練習」から「質の練習」へと転換をはかるわけだ。そしてレースの一カ月前くらいに疲労がピークを迎えるべく設定する。大事な時期だ。身体と注意深く会話をしながら、ものごとを前に進めていかなくてはならない。

カウアイ島一カ所に腰を据えて練習に励んでいた8月とは違って、9月はハワイから日本へ、日本からボストンへと長距離移動があるし、日本に滞在しているあいだは何かと忙しい。だからこれまでのようにただひたすら走っているというわけにはいかない。走行距離が落ちるぶんをプログラムの組み方で効率よくカバーしていく。

あまり言いたくないことなのだが（できれば押し入れの奥にこっそりと隠してしまいたいのだが）、前回僕が走ったフル・マラソンの結果は、実にさんざんなものだった。これまで数多くのレースを走ったけれど、こんな惨めなレースは初めてだった。場所は千葉県の某所。

30キロくらいまではまあまあのペースだった。これなら今回はそんなに悪くないタイムでゴールインできるかなとさえ考えていた。スタミナはまだ残っている。残りの距離はじゅうぶん走り切れそうだ。ところがその直後に脚が突然言うことを聞かなくなった。痙攣《けいれん》が始まり、だんだんそれが激しくなり、やがてまったく走れなくなってしまった。どれだけストレッチングをしても、太腿の裏側がひきつってぶるぶると震え、奇妙なかたちに変形し、言うことを聞いてくれない。立っていることさえできない。思わず道路にしゃがみこんでしまった。これまでにもレースの最中に多少の痙攣は経験してきた。いつもは丁寧にストレッチングをやっていれば、五分くらいで筋肉は平常に復し、再び走り始めることができた。ところが今回はそんな生やさしいものではない。いつまでたっても痙攣が収まらない。少しましになったかなと思って走り出しても、すぐにまたぶり返す。だから最後の5キロほどをとぼとぼと歩かなくてはならなかった。マラソン・レースで走らずに歩いたのは、生まれて初めてのことだった。それまではどんなに苦しくても歩かないことを自らの誇りにしていた。マラソンは走る競技であって、歩く競技ではない。それが僕の基本的な考え方である。でもそのときは歩くのだってやっとだった。ギブアップして収容バスに乗せてもらおうという思いが、何度も脳裏を横切った。どうせひどいタイムなんだから、やめちまってもいいんじゃないか、と。しかしやはり棄権だけはしたくなかった。たとえ這《は》ってでもゴールにはたどり着きたい。

ほかのランナーに後ろから次々に追い越されながら、顔をしかめ、脚を引きずり、ゴールに向けて歩いた。ディジタル・ウォッチの数字は無慈悲に時を刻み続ける。海からの風が吹きわたり、シャツにしみた汗が冷えて、おそろしく寒い。なにしろ真冬のレースだ。タンクトップにショートパンツという格好で吹きっさらしの道路を歩いていれば、そりゃ寒いに決まっている。走りやめるというのがこれほど冷えるものだとは、これまで想像もしなかった。走り続けていればとにかく身体は暖まるから、寒さは感じないですむのだが。しかし寒さよりも遥かにこたえたのは、傷ついたプライドであり、マラソン・コースをとぼとぼと歩いている自らの姿の惨めさだった。ゴールまであと2キロというあたりでようやく痙攣が収まってきて、再び走り始めることはできた。ゆっくりとジョグしながら徐々に調子を戻し、最後は思い切ってダッシュできるところまでいった。しかしタイムは惨憺たるものだった。

失敗の原因ははっきりしていた。走り込みの不足・走り込みの不足・走り込みの不足。これに尽きる。エクササイズの絶対量が足りず、体重も落とし切れていなかった。42キロくらい、適当にやっていればなんとしてでも走れるさ、という傲慢な思いが知らず知らず生まれていたのだろう。健康な自信と、不健康な慢心を隔てる壁はとても薄い。若いときならたしかに「適当にやって」いても、なんとかフル・マラソンを乗り切れたかもしれない。自分を追い込むような練習をやらなくても、これまでに貯めてきた体力の貯金だけで、そこそこのタイムは出せたかもしれない。しかし残念ながら僕はもう若くはない。支払うべき代価を支払わなければ、それなりのものしか手にできない年齢にさしかかっているのだ。

こんな目にだけは二度とあいたくない、とそのとき、しみじみと思った。こんな寒くて惨めな思いをするのはもうごめんだ。とにかく次にフル・マラソンを走るときには、初心に戻り、まったくのゼロからやり直すつもりでがんばってみよう。綿密なトレーニングを積み、自分の身体能力をあらためて掘り起こしてみよう。ひとつひとつのネジをしっかり締め直そう。それでいったいどんな結果が出るものか、見てみようじゃないか。それが、痙攣した脚を引きずって寒風の中を歩き、多くのランナーに追い抜かれながら、僕が考えたことだった。

最初にもお断りしたことだが、僕は負けず嫌いな性格ではない。負けるのはある程度避けがたいことだと考えている。人は誰であれ、永遠に勝ち続けるわけにはいかない。

人生というハイウェイでは、追い越し車線だけをひたすら走り続けることはできない。しかしそれとは別に、同じ失敗を何度も繰り返すことはしたくない。ひとつの失敗から何かを学びとって、次の機会にその教訓を活かしたい。少なくともそういう生き方を続けることが能力的に許されるあいだは。

そんなわけで「次のマラソン」であるニューヨーク・シティーでのレースに向けたトレーニングを続けながら、一方で机に向かってこのような文章を書きつづっている。二十数年前、自分が初心者ランナーであった当時のことをひとつひとつ思い返し、記憶をたどり、そのころにつけていた簡単な日誌を読み返し（僕は日記を書き続けられない性格なのだが、ランニングの日誌だけはわりに丁寧につけている）、文章にまとめている。自分のたどってきた足取りを確認するためでもあり、その時代の自分の心持ちを掘り起こすためでもある。自分を戒めるためでもあり、励ますためでもある。そしてどこかの時点で眠りこんでしまっていたある種の動機を、揺り動かすためでもある。言うなれば思考の道筋をつけるために文章を書いている。しかし結果的には——あくまで結果的にはということだが——これは、走るという行為を軸にした「個人史《メモワール》」みたいなものになっているのかもしれない。

とはいえ今、僕の頭の主要部分を占めているのは「個人史」なんかではなく、二カ月後にやってくるニューヨーク・シティー・マラソンをどのようにして、少しでもディセントな（まともな）タイムで走りきれるかという実際的な問題である。そのために自分の身体をどのように作り上げていくか、それが目下の最重要課題だ。

8月25日にはアメリカのランニング雑誌「ランナーズ・ワールド」のための写真撮影があった。カリフォルニアからカメラマンがやってきて、一日がかりで僕の写真を撮った。グレッグという熱心な若いカメラマンだ。ライトバンいっぱいの機材を、飛行機ではるばるカウアイ島まで運んできた。少し前にインタビューを済ませたのだが、その記事に添えるための写真を撮影するわけだ。ポートレイトと、走っているところの写真。フル・マラソンをコンスタントに走っている小説家はそれほどいないらしく（まったくいないわけではないのだろうが、その数はかなり少ない）、彼らは僕の「ランナー小説家」としての生活（あり方）に興味を持ったようだった。「ランナーズ・ワールド」はアメリカのランナーに広く読まれている雑誌だから、ニューヨークで僕は多くのランナーに声をかけられることになるかもしれない。そういうことを考えると、ますますみっともない走りはできないなあと緊張してしまう。

1983年に話を戻そう。デュラン・デュランやホール・アンド・オーツの人気が全盛であった、今となってはもう懐かしい時代に。

その年の7月に僕はギリシャに行って、アテネからマラトンまでを一人で走ることになった。オリジナルのマラソン・コースであるマラトン↓アテネを、逆方向に走るわけだ。どうして逆向きに走るかというと、まだ早朝のうちにアテネの中心を出発して、ラッシュの始まる前に（そして空気が汚染される前に）都市部を抜け出し、一路マラトンに向かう方が、道路の交通量が圧倒的に少なく、走るのが楽だったからだ。公式のレースとは違って一人で勝手に走るわけだから、交通規制なんてものはもちろんおこなわれない。

何故わざわざギリシャまで行って、一人で42キロを走ることになったのか？　たまたまある男性誌から「ギリシャに行って、旅行記事を書いてくれませんか？」という誘いがあったからだ。これはメディア・ツアーとして企画された旅行で、主催はギリシャ政府観光局である。いろんな雑誌が相乗りで参加し、おきまりの遺跡観光、エーゲ海クルーズなんかがコースに含まれているわけだが、それさえ終わってしまえば、帰りの飛行機のチケットはオープンになっているから、あとは好きなだけ当地に居残り、何をしてもかまわないという話だった。僕はその手の観光パッケージ・ツアーには興味はなかったけれど、あとは何をしても自由というのは魅力的だった。またギリシャにはなんといってもマラソンのオリジナル・コースがある。自分の目でそのコースを見てみたかった。その一部を自分の脚で走ることだってできるはずだ。それはランナーになったばかりの僕にとって、きっと心躍る体験になるに違いない。

ちょっと待てよ、と僕は思った。どうしてそれは「一部」じゃなくちゃならないんだ。いっそのこと、そのコースをそっくり全部走ってみたらどうだろう？

そういう提案をしたところ、雑誌編集部も「それは面白そうですね」と言ってくれた。そんなわけで、僕は生まれて初めてのフル・マラソン（らしきもの）を、一人ぼっちで黙々と完走することになった。観衆も、ゴールテープも、人々の華やかな声援も、何もなく。しかしなんといってもオリジナル・マラソン・コースなのだ。それ以上の何を求めればいいのか？

もっとも実際には、アテネからマラトンまでまっすぐ道路を走っても、フル・マラソンの公式距離42・195キロにはならない。2キロ近く距離が足りないのだ。僕は何年かあとに、公式のアテネ・マラソンに参加して走ったときに（こちらはオリジナルのとおり、マラトンからアテネまで走る）その事実を知った。アテネ・オリンピックのマラソン・レースをテレビでごらんになった方は覚えておられるだろうが、マラトンを出発したランナーたちは途中で左方向の脇道に折れて、どこかの地味な遺跡の周囲をぐるっとまわり、それからもう一度本道に戻る。そのようにして足りない距離を補うわけだ。しかし当時の僕はそんなこと知らないから、アテネ市内からマラトンまで一路ひた走って、これで42キロを完走したものと思いこんでいた。実際には40キロ程度だったわけだ。しかし市内でいくらか回り道をしたし、伴走した自動車の積算メーターは42キロ前後を刻んでいたから、結局はフル・マラソンにきわめて近い距離を走りきったということになるのかもしれない。今となってはべつにどちらでもいいようなことなのだが。

僕が走ったのは真夏のアテネである。真夏のアテネというのは、実際に行かれた方はおわかりになると思うが、なにしろ想像を絶して暑い。地元の人は必要がなければ午後にはまず表に出ない。何もせず、エネルギーを節約し、涼しい日陰で昼寝をしている。

日が暮れるとやっと外に出てきて活動を始める。夏のギリシャで昼下がりに表を歩いているのはだいたい観光客だと思っていい。犬たちも日陰に寝ころんだまま身動きひとつしない。生きているのか死んでいるのか、長いあいだ見ていてもまったく見分けがつかない。それくらい暑い。そんな季節に42キロを走るのはまさに狂気の沙汰である。

僕がアテネからマラトンまで一人で走るつもりだというと、ギリシャ人はみんな口を揃えて「そんな馬鹿な真似はしない方がいい。それ、まともな人間のやることじゃないですよ」と言った。僕はアテネの夏の暑さについて予備知識を持たなかったから、現地に来るまではわりに気楽にかまえていた。要するに42キロ走ればいいんだろう、という感じで。距離のことばかり考えて、温度までは頭が回らなかった。しかし実際にアテネに来てみて、あまりの暑さにさすがにびびった。「たしかにまともなことじゃないのかもしれない」と思い始めた。とはいえ、オリジナル・マラソン・コースを自分の脚で走って、それについて記事を書きますと見得を切って、はるばるギリシャまで来ちゃったのだ。今更あとには引けない。あれこれ知恵を絞った末に、酷暑による消耗を避けるためには、早朝のまだ暗いうちにアテネを出て、太陽が高く昇らないうちにゴールに到着するしかないという結論に達した。タイムが遅くなればなるほど、温度は急激に上昇していく。これじゃまるで「走れメロス」、文字通り太陽との競争である。

一緒にギリシャに来た写真家の景山正夫さんが、編集者と一緒に車に乗って伴走することになった。伴走しながら写真を撮る。レースではないからもちろん給水所もないので、ところどころで車から飲料水をもらって飲むことにする。ギリシャの夏は毎日が凶暴なかんかん照りだ。脱水にはくれぐれも注意しなくてはならない。

「村上さん、ほんとにマジでコースを全部走るんですね」と景山さんが、走る準備をしている僕の姿を見て驚いたように言った。

「当たり前じゃないですか。そのために来たんだから」

「そうですか。でもねえ、こういう企画って、実際に全部やる人ってあまりいないんですよ。適当に写真だけとって、途中は省いちゃうことが多いんです。ふうん、ほんとに走るんだ」

世の中ってよくわからないですよね。そんなことが実際におこなわれているんだ。

まあ、それはともかく、アテネ・オリンピックにも使われたオリンピック・スタジアムを早朝の五時半に出発し、一路マラトンへと向かう。道路は幹線道路の一本道だ。実際に走ってみるとわかるが、ギリシャの道路舗装は日本のそれとはずいぶん感じが違う。砂利のかわりに大理石の粉みたいなものが入っているので、太陽にきらきら光り、滑りやすくなっている。雨が降ると、車の運転には注意が必要になる。雨が降らなくても、シューズの底がきゅっきゅっと音を立てる。つるつるした感触が足に伝わってくる。ここからあとは、当時雑誌のために書いた記事からのダイジェストになる。

＊＊＊

太陽はどんどん昇り続ける。アテネ市内の道路はひどく走りづらい。競技場からマラトン街道の入り口まではおおよそ5キロあるのだが、信号の数がやたら多く、そのために走るペースを狂わされる。違法駐車と工事のおかげで歩道が塞がれている部分が多く、そのたびに車道に出なくてはならないのだが、早朝の市内を走る車は猛スピードを出しており、ランナーは身の危険をひしひしと感じることになる。

マラトン街道に入ったあたりで、太陽が姿を見せ始め、市内の街灯が一斉に消える。夏の太陽が地表を支配する時刻がじわじわと近づきつつあるのだ。バス停にも人の姿が見え始める。ギリシャの人々は午睡をとる習慣があるので、そのぶん出勤の時刻は早い。

みんなは珍しそうな目で、走っている僕を見る。夜明け前にアテネの市内を走っている東洋人の男を見かけることは、たぶんあまりないのだろう。アテネはただでさえジョギング人口の少ない都市である。

12キロまではだらだらとした緩い上り坂が続く。風はほとんどない。6キロあたりでランニング・シャツを脱ぎ、上半身裸になる。いつも裸で走っているせいで、シャツを脱いでしまうと気分がすっきりする（あとになってひどい日焼けに苦しむことになるのだが）。

坂を上りきったところで、ようやく市内を抜け出したという感じになる。ほっと一息というところだが、同時にすべての歩道がいともあっさりと姿を消し、白線で区切られただけの狭い路肩がそれにとって代わる。通勤ラッシュが始まり、車の数が増えてくる。僕の身体すれすれに、大型のバスやトラックが時速80キロくらいで通り過ぎていく。「マラトン街道」という響きにはそこはかとなく趣が感じられるが、要するにただの通勤産業道路である。

このへんで最初の犬の死体に出くわす。大きな茶色の犬だ。外傷らしきものは見えない。ただ道の真ん中にどうと横たわっている。おそらく野良犬が、夜のうちに猛スピードの車にはねられたのだろう。あまりにもなまあたたかくて、それは死んでいるように は見えない。ただ熟睡しているように見える。その脇を通り過ぎていくトラックの運転 手たちは、犬の死体になんか見向きもしない。

その少し先で、今度はタイヤに轢《ひ》きつぶされた猫を目にする。こちらの方はいびつな ピザみたいに、完全にぺしゃんこになって、既にひからびている。轢かれてからずいぶ ん時間が経っているようだ。

そういう道路なのだ。

東京からはるばるこの美しい国にやってきて、どうしてまたこんな殺風景で、危険き わまりない産業道路をわざわざひた走らなくてはならないのか、と僕は強く自問するこ とになる。ほかにもっとやるべきことはありそうじゃないか。結局、犬三匹、猫十一匹 というのが、この日マラトン街道沿いであえなく落命していた動物たちの総数だった。 勘定しながらつくづく気が滅入った。

ただただ走り続ける。太陽はその完全な姿を僕の前に現わし、信じられないくらいの スピードで中空めがけて上昇していく。ひどく喉が渇いてくる。汗をかく暇すらない。 空気が極端に乾燥しているせいで、汗は肌からあっという間に蒸発し、あとには白い塩分だけが残る。玉のような汗という表現があるが、玉になる暇もなく水分が消えてしまうわけだ。身体中が塩でひりひりする。唇をなめるとアンチョビ・ソースみたいな味がする。凍りつくくらいびりびりに冷えたビールが飲みたいなあと思う。けれどそうもいかないから、だいたい5キロごとに、車で伴走している編集者から飲料をもらって飲む。走りながらこんなにたくさん水を飲んだのは初めてだ。

しかし体調は悪くない。エネルギーはまだじゅうぶんに残っている。七分程度の力で、ちょうどいいペースをまもって確実に走り続ける。上り坂と下り坂が交互にやってくる。内陸部から海岸に向かうわけだから、いくぶん下り坂の方が多い。都心部を離れ、都市周辺部を離れ、あたりはだんだん田園風景に変わっていく。途中にあるネア・マクリという小さな村では、老人たちがカフェの前のテーブルに座って、朝のコーヒーを小さなカップから飲みながら、僕が走り過ぎていく姿を無言のままじっと目で追っている。ぱっとしない歴史のひとこまを目撃しているみたいに。

27キロあたりに峠があり、それを越えると、マラトンの山がちらちらと見えてくる。コースの三分の二は走りきった勘定だ。スプリット・タイムを頭の中で計算すると、このままでいけば3時間30分くらいのタイムで走り切れそうな感じだ。しかしそううまくはいかない。30キロを越えたあたりで海からの向かい風が吹き始め、マラトンに近づくにつれて、その勢いはますます強まっていく。肌がひりひりするくらい強い風だ。ちょっと力を抜くと、そのまま後ろに押し戻されてしまいそうになる。微かに海の匂いがする。そしてなだらかな上り坂が始まる。道はマラトンまでの一本道、まるで長い長い定規で線を引いたようなまっすぐな道路だ。このへんから本格的な疲労が襲いかかってくる。どれだけ水分を補給しても、あっという間に喉が渇いてしまう。きりっと冷えたビールが飲みたい。

いや、ビールのことを考えるのはよそう。太陽のことも考えないようにしよう。風のことも忘れよう。記事のことも忘れよう。足をかわりばんこに前に出すことだけに意識を集中する。それ以外は、今のところ差し迫った問題ではない。

35キロを越える。これから先は僕にとってのテラ・インコグニタ（未踏の大地）である。生まれてこの方、35キロ以上の距離を走ったことは一度もないのだ。左手には石ころだらけの荒々しい山並みがそびえている。見るからに不毛な、使い道のない山々だ。いったい誰が、どのような神々が、こんなものをわざわざ作ったのだろう。右手はどこまでも続くオリーブ畑だ。目に見える何もかもが白っぽいほこりをかぶっている。そして相変わらず肌にこたえる風が、海の方から吹き続けている。まったくなんだって、こんなにも強い風が吹かなくてはならないんだ。

37キロあたりで、何もかもがつくづくいやになってしまう。ああ、もういやだ。これ以上走りたくなんかない。どう考えたって体内のエネルギーは完全に底をついているのだ。からっぽのガソリンタンクを抱えて走り続ける自動車みたいな気分だ。水が飲みたい、でもここで立ち止まって水を飲んだりしたら、そのままもう走れなくなってしまうような気がする。喉は渇く。しかし水を飲むのに必要なエネルギーさえ残ってはいない。そう思うとだんだん腹が立ち始める。道路脇の空地に散らばって幸せそうに草を食べている羊たちにも、車の中からカメラのシャッターを切り続ける写真家に対しても腹が立ち始める。シャッターの音が大きすぎる。羊の数が多すぎる。シャッターを切るのは写真家の仕事だし、草を食べるのは羊の仕事なのだ。文句をつける筋合いはない。しかしそれでも無性に腹が立つ。皮膚がそこらじゅうで白く小さく盛り上がり始める、日焼けの水疱だ。とんでもないことになりかけている。まったくなんという暑さだろう。

40キロを越える。

「あと2キロですよ。がんばって」と車から編集者が明るく声をかける。「口で言うの

スタートして12キロあたり。
だらだら坂のマラトン街道
をひた走る。

は簡単なんだよな」と言い返したいのだが、思うだけで声にならない。むきだしの太陽がひどく暑い。まだ午前九時過ぎだというのに、すさまじい暑さだ。汗が目に入る。塩気でちくちくとしてしばらくのあいだ、何も見えない。手でぬぐいたいのだが、手も顔もなにしろ塩だらけで、そんなことをしたら余計に目が痛くなる。

丈の高い夏草の向こうに、ゴールが小さく見えてくる。マラトン村の入り口にあるマラトン記念碑だ。それが本当にゴールなのかどうか、最初のうちはうまく判断できない、ゴールにしては現われ方が唐突に過ぎるような気がする。もちろん終結点が見えるのは嬉しいのだが、その唐突さに、わけもなく腹が立ってくる。最後だから死力を振り絞ってスピードを出そうと思うのだけれど、どうしても足が前に出ていかない。身体の動かし方がよく思い出せない。身体中の筋肉が錆《さ》びたかんなで削られているみたいな気がする。

ゴール。

やっとゴールにたどり着く。達成感なんてものはどこにもない。僕の頭にあるのは「もうこれ以上走らなくてもいいんだ」という安堵感だけだ。ガソリンスタンドの水道を借りて身体の火照りを鎮め、こびりついた白い塩を洗い流す。人間塩田というか、全身がとにかく塩だらけだ。事情を聞いたスタンドのおじさんが、鉢植えの花を切って小さな花束を作り、僕に渡してくれる。よかったね、おめでとう。異国の人々のそんなささやかな心遣いが身にしみる。マラトンは小さな、親切な村だ。静かで、平和な村だ。こんなところで数千年前に、ギリシャ軍が凄惨な戦闘の末にペルシャの遠征軍を水際で打ち破ったなんて、とても想像できない。マラトン村の朝のカフェで、僕は心ゆくまで冷えたアムステル・ビールを飲む。ビールはもちろんうまい。しかし現実のビールは、走りながら切々と想像していたビールほどうまくはない。正気を失った人間の抱く幻想ほど美しいものは、現実世界のどこにも存在しない。

アテネからマラトン村までの所要時間3時間51分。好タイムとは言えないが、とにかく僕は一人きりでマラソン・コースを走りきったのだ。交通地獄と、想像を絶する暑さと、激しい渇きを相手にまわして。たぶん誇りに思ってもいいはずだ。しかしそんなことは、今のところどうでもいい。とにかくもうこれ以上一歩たりとも走る必要はない――なんといってもそれがいちばん嬉しい。

やれやれ、もうこれ以上走らなくていいんだ。

完走後、ギリシャ式のレストラン兼カフェ、タヴェルナでくつろぐ。

1983年７月18日、初めてのフル・マラソンのゴールをマラソン発祥の地・マラトンで迎えた。

＊＊＊

これが僕にとっての生まれて初めての（ほぼ）42キロ走だった。そしてそんな過酷な条件で42キロを走りきったのは、ありがたいことに、それが最後になった。その年の12月にはホノルル・マラソンをまずまずのタイムで完走した。ハワイも暑かったが、アテネの夏に比べればかわいいものだ。というわけでホノルルが僕にとっての正式なフル・マラソン・レースのデビューになる。そしてそれ以来、毎年ひとつのフル・マラソンを走ることが習慣になった。

しかし当時書いたこの文章を久しぶりに読み返して発見したのだが、それから二十数年が経過し、年数とほぼ同じ数のフル・マラソンを完走した今でも、42キロを走って僕が感じることは、最初のときとまるで変化していないみたいだ。今でも僕はマラソンを走るたびに、だいたいここに書いたのと同じ心的プロセスをくぐり抜けている。30キロまでは「今回は良いタイムが出るかもな」と思うのだが、35キロを過ぎると身体の燃料が尽きてきて、いろんなものごとに対して腹が立ち始める。そして最後は「からっぽのガソリンタンクを抱えて走り続ける自動車みたいな気分」になる。でも走り終えて少し経つと、苦しかったことや、情けない思いをしたことなんてけろっと忘れて「次はもっとうまく走るぞ」と決意を固めている。いくら経験を積んだところで、年齢を重ねたところで、所詮は同じことの繰り返しなのだ。

そう、ある種のプロセスは何をもってしても変更を受け付けない、僕はそう思う。そしてそのプロセスとどうしても共存しなくてはならないとしたら、僕らにできるのは、執拗な反復によって自分を変更させ（あるいは歪ませ）、そのプロセスを自らの人格の一部として取り込んでいくことだけだ。

やれやれ。

第4章 | 2005年9月19日 東京

僕は小説を書く方法の多くを、道路を毎朝走ることから学んできた

9月10日に、カウアイ島をあとにして日本に戻り、二週間ばかり滞在する。日本では東京の事務所兼アパートと、神奈川県にある自宅を車で行き来する。もちろんそのあいだも走り続けているわけだが、久しぶりの帰国なので、なにしろいろんな仕事が手ぐすね引いて待ち受けている。それをひとつひとつ片づけていかなくてはならない。会わなくてはならない人も多い。だから8月ほど自由気ままには走れない。そのかわりに空いた時間をみつけては長い距離の走り込みをする。日本にいるあいだに二度20キロを走り、一度30キロを走った。一日平均10キロ走るというペースは辛うじて維持されている。

坂道練習も意識的にやった。自宅のまわりには高低差のある坂道周回コースがあり（たぶん五、六階建てのビルくらいはあるだろう）、それを二十一周走った。時間は1時間45分。ひどく蒸し暑い日だったので、これはこたえた。ニューヨーク・シティー・マラソンはほぼフラットなコースだが、全部で五つの大きな橋を渡らなくてはならないし、橋の多くは吊り橋構造なので、中央の部分が高く盛り上がっている。ニューヨーク・シティーはこれまでに三度走ったが、このだらだらした上り下りが思いのほか脚にこたえた。

それからコースの最後に控えている、セントラル・パークに入ってからの坂の上り下りも厳しくて、いつもここでスピード・ダウンしてしまう。セントラル・パーク内の坂道は、朝のジョギングをしているときにはとくに苦にもならないなだらかな勾配だが、マラソン・レースの終盤にここにさしかかると、まるで壁のようにランナーの前に立ちはだかる。そして最後まで残しておいた気力を無慈悲にもぎとっていく。あともう少しでゴールだからと自分を叱咤激励するものの、前に進むのは気持ちだけで、なかなかゴールが近づいてこない。喉は渇くのだが、胃はもう水分を求めてはいない。脚の筋肉が悲鳴を上げ始めるのもこのあたりだ。

僕はもともと坂道は不得意ではない。コースに上り坂があると、そこでほかのランナーを抜けるので、普通ならむしろ歓迎するくらいなのだが、それでもセントラル・パークの最後の上り坂には、いつもげっそりさせられる。最後の数キロを（比較的）楽しく走り、全力疾走をして、にこにこしながらゴールインしたい。それが今回のレースの目標のひとつだ。

たとえ絶対的な練習量は落としても、休みは二日続けないというのが、走り込み期間における基本的ルールだ。筋肉は覚えの良い使役動物に似ている。注意深く段階的に負荷をかけていけば、筋肉はそれに耐えられるように自然に適応していく。「これだけの仕事をやってもらわなくては困るんだよ」と実例を示しながら繰り返して説得すれば、相手も「ようがす」とその要求に合わせて徐々に力をつけていく。もちろん時間はかかる。無理にこきつかえば故障してしまう。しかし時間さえかけてやれば、そして段階的にものごとを進めていけば、文句も言わず（ときどきむずかしい顔はするが）、我慢強く、それなりに従順に強度を高めていく。「これだけの作業をこなさなくちゃいけないんだ」という記憶が、反復によって筋肉にインプットされていくわけだ。我々の筋肉はずいぶん律義なパーソナリティーの持ち主なのだ。こちらが正しい手順さえ踏めば、文句は言わない。

しかし負荷が何日か続けてかからないでいると、「あれ、もうあそこまでがんばる必要はなくなったんだな。あーよかった」と自動的に筋肉は判断して、限界値を落としていく。筋肉だって生身の動物と同じで、できれば楽をして暮らしたいと思っているから、負荷が与えられなくなれば、安心して記憶を解除していく。そしていったん解除された記憶をインプットしなおすには、もう一度同じ行程を頭から繰り返さなくてはならない。もちろん息抜きは必要だ。しかしレースを目前に控えたこの重要な時期には、筋肉に対してしっかりと引導を渡しておく必要がある。「これは生半可なことじゃないんだからな」という曇りのないメッセージを相手に伝えておかなくてはならない。パンクしない程度に、しかし容赦のない緊張関係を維持しておかなくてはならない。このへんの駆け引きは、経験を積んだランナーならみんな自然に心得ている。

日本に滞在しているあいだに、新しい短編小説集『東京奇譚集』が発売される。そのためのインタビューがいくつかある。11月に発売予定の音楽評論集のゲラ刷りの手入れと、表紙デザインの打ち合わせがある。来年からシリーズで刊行されるペーパーバック版〈レイモンド・カーヴァー作品集〉のゲラ刷りの手入れがある。ペーパーバック化にあたって、既存の翻訳を全面的に洗い直したいと思っているので、この作業にも時間を要する。それからアメリカで来年刊行される短編集『*Blind Willow, Sleeping Woman*（めくらやなぎと眠る女）』のための長い序文も書かなくてはならない。それと同時にこのようなランニングに関するエッセイも、暇をみつけて——とくに誰かに頼まれたのでもないのだが——こつこつと書き続けている。無口で勤勉な村の鍛冶屋のように。

いくつかの実務的な案件も片づけなくてはならない。僕らがアメリカで生活しているあいだ、アシスタントとして東京の事務所で働くことになっていた女性が、来年の初めに結婚をするので年内に辞めたいと急に言い出して、代わりの人を捜さなくてはならない。夏のあいだ事務所を店閉まいするわけにもいかない。ケンブリッジに戻ってすぐに、いくつかの大学で講演をすることになっているので、そのための準備もある。

これだけのものごとを、わずかな期間に順序よく処理する。そしてなおかつ、ニューヨークのレースのための走り込みを続けなくてはならない。追加人格まで駆り出したいくらいのものだ。しかし何はともあれ走り続ける。日々走ることは僕にとっての生命線のようなもので、忙しいからといって手を抜いたり、やめたりするわけにはいかない。もし忙しいからというだけで走るのをやめたら、間違いなく一生走れなくなってしまう。走り続けるための理由はほんの少ししかないけれど、走るのをやめるための理由なら大型トラックいっぱいぶんはあるからだ。僕らにできるのは、その「ほんの少しの理由」をひとつひとつ大事に磨き続けることだけだ。暇をみつけては、せっせとくまなく磨き続けること。

東京にいるときにはだいたい神宮外苑を走っている。神宮球場の隣にある周回コースだ。ニューヨークのセントラル・パークには比べるべくもないけれど、東京都心には珍しく、緑に恵まれた地域だ。このコースは長年走り慣れていて、距離の感覚が細かいところまで頭に入っている。そこにあるくぼみや段差のひとつひとつを記憶している。だからスピードを意識しながら練習するにはうってつけだ。問題は近辺の交通量が多く、時間によっては通行人も多く、空気がそれほどきれいではないことだが、なにしろ東京の真ん中だから、贅沢は言えない。走る場所が住まいの近くにあるだけでもラッキーと思わなくてはならない。

神宮外苑は一周が1325メートルで、100メートルごとの表示が路面に刻まれているので、走るには便利だ。キロ5分半で走ろう、キロ5分で走ろう、キロ4分半で走ろうと決めて走るときには、このコースを使う。僕が外苑で走り始めたころには、瀬古利彦氏が現役でやはりここを走っていた。必死の形相でロス・オリンピックのための走り込みをしていた。金色に光るメダルだけが彼の頭の中にあるものだった。その前のモスクワ・オリンピックを、政治的な理由によるボイコットのために逃していた彼にとっては、ロサンジェルスがおそらくはメダルをとる最後のチャンスだった。そこには何かしら悲壮なものが漂っていたし、走っている彼の目を見れば、僕らはそれをはっきりと見て取ることができた。そのころは中村清監督もまだ健在だったし、またS&B食品の陸上チームには、実力派の選手がずらりと顔を揃えていて、まさに飛ぶ鳥を落とす勢いだった。S&Bチームは毎日の練習にこの外苑コースをよく使っていたので、すれ違っているうちに、僕はこのチームの選手たちと自然に顔見知りになった。沖縄でのトレーニングも取材させてもらった。

彼らは会社に出勤する前、早朝のうちに個人個人でジョギングをし、午後にチームで集まって練習をする。僕は昔は毎日、朝の七時前にここでジョグをしていたので（その時刻ならまだ交通量も少なく、人通りもなく、空気も比較的きれいだ)、同じころに個人ジョグをしているS&Bの選手とすれ違い、よく目礼をした。雨降りの日には微笑みを交わしたりもした。「おたがい大変ですね」という風に。とくに覚えているのは、谷口伴之と金井豊という二人の若い選手だった。どちらも二十代後半、たしか早稲田大学の陸上部出身で、学生時代は箱根駅伝で活躍した。瀬古氏が監督に就任してからは、S&Bの若き両エースとして嘱望されていた。ゆくゆくはオリンピックでメダルをねらえる器《うつわ》だったと思う。厳しい練習にもよく耐えていた。しかし彼らは北海道で夏期合宿をしているとき、車で移動中に交通事故にあって、一緒に亡くなってしまった。彼ら二人がどれくらい過酷な練習を積んできたかということを、この目で実際に見てきたから、その死のニュースを聞かされたときにはショックを受けた。胸が痛み、心から残念に思った。

個人的には、彼ら二人のことはよく知らない。直接言葉を交わしたこともほとんどない。二人とも結婚したばかりだったということも、亡くなったあとで聞いて知ったことだ。しかし同じ長距離ランナーとして日々路上で顔を合わせ、それなりに心が通じ合うものはあったような気がする。たとえどれほどレベルが違っても、長距離を走っている人間どうしにしかわからないものごとはある。僕はそう考えている。
今でも早朝に神宮外苑や赤坂の御所のまわりのコースを走っていると、この人たちのことを折にふれて思い出す。コーナーを曲がったら、彼らが向こうから白い息をはきながら黙々と走ってきそうな気がすることがある。そして僕はいつもこう考える。あれだけの過酷な練習に耐えてきた彼らの思いは、彼らの抱いていた希望や夢や計画は、いったいどこに消えてしまったのだろうと。人の思いは肉体の死とともに、そんなにもあっけなく消えてなくなってしまうものなのだろうか、と。

神奈川の自宅のあたりでは、東京にいるときとはまったく違う練習をすることができる。前にも述べたように、きつい坂道周回コースが家の近くにある。それから三時間ほどかけてぐるりとまわれる、フル・マラソンの練習にはうってつけのコースもある。大部分は川沿いと海岸沿いのフラットな道路で、車は走らないし、途中には信号もほとんどない。東京とは違って空気もきれいだ。三時間一人で走るというのはたしかにけっこう退屈なものだが、好きな音楽を聴きながら、覚悟を決めてのんびりと走る。ただし遠くまで走っていって、折り返して帰ってくるコースだから、いったん走り出したら「疲れたから途中でやめ」というわけにはいかない。這ってでも、なんとかうちまで戻ってこなくてはならない。それもまあ、好ましい環境と言えなくもないのだが。

小説を書くことについて語ろう。

小説家としてインタビューを受けているときに、「小説家にとってもっとも重要な資質とは何ですか?」という質問をされることがある。小説家にとってもっとも重要な資質は、言うまでもなく才能である。文学的才能がまったくなければ、どれだけ熱心に努力しても小説家にはなれないだろう。これは必要な資質というよりはむしろ前提条件だ。燃料がまったくなければ、どんな立派な自動車も走り出さない。

しかし才能の問題点は、その量や質がほとんどの場合、持ち主にはうまくコントロールできないところにある。量が足りないからちょっと増量したいなと思っても、節約して小出しにしてできるだけ長く使おうと思っても、そう都合良くはいかない。才能というものはこちらの思惑とは関係なく、噴き出したいときに向こうから勝手に噴き出してきて、出すだけ出して枯渇したらそれで一巻の終わりである。シューベルトやモーツァルトみたいに、あるいはある種の詩人やロック・シンガーのように、潤沢な才能を短期間に威勢良く使い切って、ドラマチックに若死して美しい伝説になってしまうという生き方も、たしかに魅力的ではあるけれど、我々の大半にとっては、あまり参考にはならないだろう。

才能の次に、小説家にとって何が重要な資質かと問われれば、迷うことなく集中力をあげる。自分の持っている限られた量の才能を、必要な一点に集約して注ぎ込める能力。これがなければ、大事なことは何も達成できない。そしてこの力を有効に用いれば、才能の不足や偏在をある程度補うことができる。僕は普段、一日に三時間か四時間、朝のうちに集中して仕事をする。机に向かって、自分の書いているものだけに意識を傾倒する。ほかには何も考えない。ほかには何も見ない。思うのだが、たとえ豊かな才能があったとしても、いくら頭の中に小説的アイデアが充ち満ちていたとしても、もし（たとえば）虫歯がひどく痛み続けていたら、その作家はたぶん何も書けないのではないか。集中力が、激しい痛みによって阻害されるからだ。集中力がなければ何も達成できないと言うのは、そういう意味合いにおいてである。

集中力の次に必要なものは持続力だ。一日に三時間か四時間、意識を集中して執筆できたとしても、一週間続けたら疲れ果ててしまいましたというのでは、長い作品は書けない。日々の集中を、半年も一年も二年も継続して維持できる力が、小説家には——少なくとも長編小説を書くことを志す作家には——求められる。呼吸法にたとえてみよう。集中することがただじっと深く息を詰める作業であるとすれば、持続することは息を詰めながら、それと同時に、静かにゆっくりと呼吸していくコツを覚える作業である。その両方の呼吸のバランスがとれていないと、長年にわたってプロとして小説を書き続けることはむずかしい。呼吸を止めつつ、呼吸を続けること。

このような能力（集中力と持続力）はありがたいことに才能の場合とは違って、トレーニングによって後天的に獲得し、その資質を向上させていくことができる。毎日机の前に座り、意識を一点に注ぎ込む訓練を続けていれば、集中力と持続力は自然に身についてくる。これは前に書いた筋肉の調教作業に似ている。日々休まずに書き続け、意識を集中して仕事をすることが、自分という人間にとって必要なことなのだという情報を身体システムに継続して送り込み、しっかりと覚え込ませるわけだ。そして少しずつその限界値を押し上げていく。気づかれない程度にわずかずつ、その目盛りをこっそりと移動させていく。これは日々ジョギングを続けることによって、筋肉を強化し、ランナーとしての体型を作り上げていくのと同じ種類の作業である。刺激し、持続する。刺激し、持続する。この作業にはもちろん我慢が必要である。しかしそれだけの見返りはある。

優れたミステリー作家であるレイモンド・チャンドラーは「たとえ何も書くことがなかったとしても、私は一日に何時間かは必ず机の前に座って、一人で意識を集中することにしている」というようなことをある私信の中で述べていたが、彼がどういうつもりでそんなことをしたのか、僕にはよく理解できる。チャンドラー氏はそうすることによって、職業作家にとって必要な筋力を懸命に調教し、静かに志気を高めていたのである。そのような日々の訓練が彼にとっては不可欠なことだったのだ。

長編小説を書くという作業は、根本的には肉体労働であると僕は認識している。文章を書くこと自体はたぶん頭脳労働だ。しかし一冊のまとまった本を書きあげることは、むしろ肉体労働に近い。もちろん本を書くために、何か重いものを持ち上げたり、速く走ったり、高く飛んだりする必要はない。だから世間の多くの人々は見かけだけを見て、作家の仕事を静かな知的書斎労働だと見なしているようだ。コーヒーカップを持ち上げる程度の力があれば、小説なんて書けてしまうんだろうと。しかし実際にやってみれば、小説を書くというのがそんな穏やかな仕事ではないことが、すぐにおわかりいただけるはずだ。机の前に座って、神経をレーザービームのように一点に集中し、無の地平から想像力を立ち上げ、物語を生みだし、正しい言葉をひとつひとつ選び取り、すべての流れをあるべき位置に保ち続ける――そのような作業は、一般的に考えられているよりも遥かに大量のエネルギーを、長期にわたって必要とする。身体こそ実際に動かしはしないものの、まさに骨身を削るような労働が、身体の中でダイナミックに展開されているのだ。もちろんものを考えるのは頭（マインド）だ。しかし小説家は「物語」というアウトフィットを身にまとって全身で思考するし、その作業は作家に対して、肉体能力をまんべんなく行使することを――多くの場合酷使することを――求めてくる。

才能に恵まれた作家たちは、このような作業をほとんど無意識的に、ある場合には無自覚的におこなっていくことができる。とくに若いうちは、ある水準を超えた才能さえあれば、小説を書き続けることはさして困難な作業ではない。様々な難関は易々とクリアしていける。若いというのは、全身に自然な活力が充ち満ちているということなのだ。集中力も持続力も、必要とあらば向こうからやってくる。こちらからあえて求めるべきことは、ほとんど何もない。若くて才能があるということは、背中に翼がはえているのと同じなのだ。

しかしそのような自由闊達さも多くの場合、若さが失われていくにつれて、次第にその自然な勢いと鮮やかさを失っていく。かつては軽々とできたはずのことが、ある年齢を過ぎると、それほど簡単にはできないようになっていく。速球派のピッチャーの球速が、ずるずる落ちていくのと同じことだ。もちろん人間的成熟によって、自然な才能の減衰をカバーしていくことは可能だ。速球派のピッチャーが、ある時点から変化球を主体にした頭脳的なピッチングに切り替えていくように。しかしそれにももちろん限界というものがある。喪失感の淡い翳《かげ》もそこにはまたうかがえるはずだ。

その一方で、才能にそれほど恵まれていない——というか水準ぎりぎりのところでやっていかざるを得ない——作家たちは、若いうちから自前でなんとか筋力をつけていかなくてはならない。彼らは訓練によって集中力を養い、持続力を増進させていく。そしてそれらの資質を（ある程度まで）才能の「代用品」として使うことを余儀なくされる。しかしそのようにしてなんとか「しのいで」いるうちに、自らの中に隠されていた本物の才能に巡り合うこともある。スコップを使って、汗水を流しながらせっせと足元に穴を掘っているうちに、ずっと奥深くに眠っていた秘密の水脈にたまたまぶちあたったわけだ。まさに幸運と呼ぶべきだろう。しかしそのような「幸運」が可能になったのも、もとはといえば、深い穴を掘り進めるだけのたしかな筋力を、訓練によって身につけてきたからなのだ。晩年になって才能を開花させていった作家たちは、多かれ少なかれこのようなプロセスを経てきたのではあるまいか。

もちろん最初から最後まで才能が枯渇することがなく、作品の質も落ちないという、本物の巨大な才能に恵まれた人々も——ひと握りではあるけれど——この世界に存在する。好き放題に使っても尽きることのない水脈。これは文学にとってまことに慶賀すべきことである。もしこのような巨人たちの存在がなかったなら、文学の歴史は今あるほど堂々たる偉容を誇ってはいなかったはずだ。具体的に名前をあげるなら、シェイクスピア、バルザック、ディッケンズ……。しかし巨人たちはあくまで巨人たちである。彼らはなんといっても例外的な、神話的な存在だ。巨人ならざる世間の大半の作家たち（僕ももちろんそのうちの一人だ）は多かれ少なかれ、才能の絶対量の不足分を、それぞれに工夫し努力し、いろんな側面から補強していかなくてはならない。そうしないことには、少しなりとも価値のある小説を、長い期間にわたって書き続けることは不可能になってしまう。そしてどのような方法で、どのような方向から自らを補強していくかということが、それぞれの作家の個性となり、持ち味となる。

僕自身について語るなら、僕は小説を書くことについての多くを、道路を毎朝走ることから学んできた。自然に、フィジカルに、そして実務的に。どの程度、どこまで自分を厳しく追い込んでいけばいいのか？　どれくらいの休養が正当であって、どこからが休みすぎになるのか？　どこまでが妥当な一貫性であって、どこからが偏狭さになるのか？　どれくらい外部の風景を意識しなくてはならず、どれくらい内部に深く集中すればいいのか？　どれくらい自分の能力を確信し、どれくらい自分を疑えばいいのか？　もし僕が小説家となったとき、思い立って長距離を走り始めなかったとしたら、僕の書いている作品は、今あるものとは少なからず違ったものになっていたのではないかという気がする。具体的にどんな風に違っていたか？　そこまではわからない。でも何かが大きく異なっていたはずだ。

いずれにせよ、ここまで休むことなく走り続けてきてよかったなと思う。なぜなら、僕は自分が今書いている小説が、自分でも好きだからだ。この次、自分の内から出てくる小説がどんなものになるのか、それが楽しみだからだ。一人の不完全な人間として、限界を抱えた一人の作家として、矛盾だらけのぱっとしない人生の道を辿りながら、それでも未だにそういう気持ちを抱くことができるというのは、やはりひとつの達成ではないだろうか。いささか大げさかもしれないけれど「奇跡」と言ってもいいような気さえする。そしてもし日々走ることが、そのような達成を多少なりとも補助してくれたのだとしたら、僕は走ることに対して深く感謝しなくてはならないだろう。

世間にはときどき、日々走っている人に向かって「そこまでして長生きをしたいかね」と嘲笑的に言う人がいる。でも思うのだけれど、長生きをしたいと思って走っている人は、実際にはそれほどいないのではないか。むしろ「たとえ長く生きなくてもいいから、少なくとも生きているうちは十全な人生を送りたい」と思って走っている人の方が、数としてはずっと多いのではないかという気がする。同じ十年でも、ぼんやりと生きる十年よりは、しっかりと目的を持って、生き生きと生きる十年の方が当然のことながら遥かに好ましいし、走ることは確実にそれを助けてくれると僕は考えている。与えられた個々人の限界の中で、少しでも有効に自分を燃焼させていくこと、それがランニングというものの本質だし、それはまた生きることの（そして僕にとってはまた書くことの）メタファーでもあるのだ。このような意見には、おそらく多くのランナーが賛同してくれるはずだ。

東京の事務所の近所にあるジムに行って、筋肉ストレッチをしてもらう。これは他力ストレッチというか、自分一人では有効にやれない部分のストレッチを、トレーナーの助けを借りてやるわけだ。長くきついトレーニングのおかげで、身体じゅうの筋肉がぱんぱんに張っているので、これをたまにやっておかないと、レースの前に身体がパンクしてしまうかもしれない。身体を限界まで追いつめるのは大事だが、限界を超えると元も子もなくしてしまうことになる。

ストレッチをしてくれるトレーナーは若い女性だが力は強い。つまり彼女の与えてくれる「他力」はかなりの——というか強烈な——痛みを伴うということだ。半時間のストレッチが終わると、下着まで汗でぐしょぐしょになってしまうくらいだ。「よくもまあ、ここまで筋肉をこちこちに張らせましたねえ。痙攣寸前ですよ」と彼女はいつも感心してくれる。「普通の人ならずっと前にどうにかなってますね。まったくこんな状態で、よく普通の生活が送れるもんだなあ」

このままで筋肉を酷使していれば早晩、どこかに故障が出てきますよ、と彼女は言う。あるいはそうかもしれない。でもなんとかうまく乗り越えていけるだろう、という気が自分では——あくまで希望的にだが——する。僕はずっと長いあいだ、自分の筋肉とそういうぎりぎりのつきあい方をしてきたからだ。集中して練習しているとき、僕の筋肉はだいたいにおいてぱんぱんに硬くなっている。朝ジョギング・シューズを履いて走り出すときには両足が重くて重くて、もう永遠にまともに動かないんじゃないかという気がするくらいだ。ほとんどひきずるような感じで、のろのろと道路を走り始める。早足で散歩している近所のおばさんにも追いつけない。しかし我慢して走っているうちに、少しずつ筋肉がほぐれてきて、二十分くらいでなんとか人並みの走り方ができるようになる。次第にスピードも出てくる。そのあとはとくに苦労もなく、機械的に走り続ける。

つまり僕の筋肉は、始動するまでに時間がかかる種類の筋肉なのだ。立ち上がりがきわめてのろい。そのかわりいったん暖まって動き始めたら、かなり長い時間、無理なく調子よく動かし続けることができる。典型的な「長距離向き」の筋肉だと言っていいだろう。だから短距離にはまったく向かない。短距離競技だと、僕の筋肉のエンジンがかかり始めたころには、もうレースは終わってしまっているということになりかねない。このような筋肉の特性は、専門的なことはよくわからないけれど、ある程度まで生まれつきのものではないかと思う。そしてそのような筋肉の特性は、そのまま僕の精神的な特性に結びついているような気がする。ということはつまり、人の精神は、肉体の特性に左右されるということなのだろうか？　あるいは逆に精神の特性が、肉体の成り立ちに作用するということなのだろうか？　それとも精神と肉体はお互いに密接に影響し、作用し合っているものなのだろうか？　僕に言えるのは、人には生まれつきの「総合的傾向」のようなものがあって、本人がそれを好んだとしても好まなかったとしても、そこから逃れることは不可能ではないかということくらいだ。傾向はある程度まで調整できる。しかしそれを根本から変更することはできない。人はそれをネイチャーと呼ぶ。

僕の脈拍は普通は一分間に50くらいしかない。かなり遅い方だと思う（ちなみにシドニーで金メダルをとった高橋尚子さんは35であると聞いた）。しかし走って三十分くらいすると、それが70近くにまであがってくる。全力で走った直後は、１００近くになる。つまりある程度走り込んで、それでやっと普通の人と同じ程度の脈拍数になるということだ。これも明らかに「長距離向き」の体質である。日々走るようになってから、脈拍は目に見えて遅くなっていった。長い距離を走るという機能に合わせて、身体が脈拍数を調整していったわけだ。最初から脈拍が速くて、それが距離を走るに従ってますます上がっていったら、心臓がすぐにパンクしてしまう。アメリカの病院に行くと、まず看護婦さんによる予診のようなものがあって、ここで脈拍を計るのだが、いつも「ああ、あなたはランナーなのね」と言われる。長距離ランナーは長いあいだに、きっとみんな同じような脈拍数になっていくのだろう。街を走っていて、初心者ランナーとベテラン・ランナーはすぐに見分けられる。はあはあと短く息をしているのが初心者で、静かに規則的に呼吸しているのがベテランだ。彼らの心臓はゆっくりと、考えに耽りながら時を刻んでいる。僕らは路上ですれ違いながら、お互いの呼吸のリズムを聴き取り、お互いの時の刻み方を感じ合うことになる。作家たちがお互いの語法を感じ合うのと同じように。

いずれにせよ、僕の筋肉は今のところ、かなり硬く張ってしまっている。自分でどれだけストレッチをしても、なかなか柔らかくはなってくれない。トレーニングのピーク時期ということはもちろんあるのだけれど、それにしても硬いよなあと思う。ときどき、脚の硬くなったところを思い切り拳でごつんごつんと叩いて（もちろん痛い）、ほぐさなくてはならない。僕がいくぶん頑固であるのと同じくらい、いやそれ以上に、僕の筋肉は頑固なのだ。筋肉は記憶し、耐える。ある程度向上もする。しかし妥協をしてはくれない。融通をはかってもくれない。しかし何はともあれ、これが僕の肉体である。限界と傾向を持った、僕の肉体なのだ。顔や才能と同じで、気に入らないところがあっても、ほかに持ち合わせはないから、それで乗り切っていくしかない。年齢を重ねると、そういう按配が自然にできるようになってくる。冷蔵庫を開けて、そこに残っているものだけを使って、適当な（そして幾分は気の利いた）料理がすらすらと作れるようになる。リンゴとタマネギとチーズと梅干ししかなくても、文句は言わない。あるだけのもので我慢する。何かがあるだけでもありがたいのだと思う。そんな風に思えるのは、年を取ることの数少ないメリットのひとつだ。

久しぶりに東京の街を走る。9月の東京はまだまだ暑い。都会の残暑の厳しさはとくべつだ。全身汗だくになって黙々と走る。帽子がひたひたと湿っていく様子が感じられる。身体から汗が散るのが見える。汗が散る様子が影になって路面にくっきりと映っている。散った汗は道路に落ちて、あっという間に蒸発していく。

世界中どこでも、長距離を走っている人々の顔つきは同じようなものだ。みんな何かを考えながら走っているように見える。何も考えていないのかもしれないけれど、何かをじっと考えているように見える。こんな暑いのによく走るよなあと、つい感心してしまうのだが、考えてみれば僕だってまったく同じことをしているのだ。

外苑のコースを走っている途中で、通りがかりの女性に声をかけられる。僕の読者の一人だ。こういうことは珍しいのだけれど、たまにある。足を止めて短い会話を交わす。「もう二十年以上、ずっとあなたの小説を読み続けています」と彼女は言う。十代の終わりから読み始め、今は三十代の終わりになっている。人はみんな公平に年齢を重ねていく。「ありがとう」と僕は言う。にっこり笑って、握手して別れる。僕の手はたぶん汗で湿っていたと思うのだけど。そして僕はまたランニングに戻る。彼女は彼女の目的地に――どこだかは知らないけれど――向かって歩き続ける。僕は僕の目的地に向かって走り続ける。僕の目的地？　もちろんニューヨークだ。

第５章 | 2005年10月３日
マサチューセッツ州ケンブリッジ

もしそのころの僕が、長いポニーテールを持っていたとしても

ボストン近辺では、すべてを呪いたくなるような不快な日が、一夏のうちに何日かある。しかしそれさえ我慢すれば、あとはなかなか悪くない。裕福な人々はヴァーモントやケープコッドにさっさと避暑に出かけてしまっているが、そのぶん街はがらんとして気持ちがいい。並木が川沿いの遊歩道の路面にくっきりとした涼しい影を落とし、眩《まぶ》しく輝く川面ではハーヴァードやBU（ボストン大学）の学生たちがレガッタの練習に励んでいる。女の子たちは芝生の上にビーチ・タオルを敷いて、ウォークマンやiPodを聴きながら、気前のいいビキニ姿で日光浴をしている。アイスクリーム売りがヴァンの屋台を出している。誰かがギターを弾いてニール・ヤングの古い歌を歌っている。毛の長い犬が脇目もふらずフリスビーを追いかけている。あずき色のサーブ・コンバーチブルに乗った民主党支持の精神科医（たぶん）が、夕暮れの風を切って川べりの道路を通り過ぎていく。

しかしやがて、ニューイングランド独特の短く美しい秋が、行きつ戻りつしながらそれにとってかわる。僕らを取り囲んでいた深い圧倒的な緑が、少しずつ少しずつ、ほのかな黄金色に場所を譲っていく。そしてランニング用のショートパンツの上にスエットパンツを重ね着するころになると、枯れ葉が吹きゆく風に舞い、どんぐりがアスファルトを打つ「コーン、コーン」という堅く乾いた音があたりに響く。そのころにはもう勤勉なリスたちが、冬ごもりのための食糧を確保しようと、目の色を変えて走り回っている。

ハロウィーンが終わると、まるで有能な収税吏のように簡潔に無口に、そして確実に冬がやってくる。気がつくと川には厚い氷が張りつめ、レガッタは姿を消す。もしそうしたいと思えば、向こう岸まで歩いて渡れるようになる。樹木は一枚残らずその葉を落とし、細い枝が風に吹かれてぶつかり合い、乾いた骨のようにかたかたと音を立てている。そのずっと上の方にリスの作った巣が見える。彼らはたぶんその中で静かな夢を見ているのだろう。物怖じしない美しいカナダ・グースたちが群れをなして北からやってくる（そう、ここよりまだ寒い場所が北にはあるのだ）。川面を吹き抜ける風は研ぎあげたばかりの鉈《なた》のように冷たく、鋭くなってくる。日はどんどん短くなり、雲はどんどん厚くなっていく。

僕らは手袋をはめ、毛糸の帽子を耳まで引っぱり下ろし、フェイスマスクまでつける。それでもなお指先が凍りつき、耳たぶがひりひりと痛くなる。でも冷たい風だけならまだいい。我慢しようと思えば、なんとか我慢はできる。致命的なのは大雪だ。つもった雪は夜のうちに巨大なつるつるの氷の塊となり、道路を硬く塞いでしまう。そして僕らは走ることをあきらめ、屋内プールで泳いだり、あのろくでもないサイクリング・マシーンにまたがったりして体力を整えながら、春の到来を待つ。

それがチャールズ河だ。人々はそこにやってきて、それぞれの流儀で、川をめぐる自分たちの生活を送る。ただのんびり散策したり、犬を散歩させたり、サイクリングしたり、ジョギングしたり、あるいはローラー・ブレードを楽しんだり（どうしてあんなおっかないものが「楽しめる」のか、正直なところ見当もつかないが）している。人々はあたかも磁力に引きつけられるみたいにこの川のほとりに集まってくる。

たくさんの水を日常的に目にするのは、人間にとって大事な意味を持つ行為なのかもしれない。まあ「人間にとって」というのはいささかオーバーかもしれないが、でも僕にとってはとりあえず大事なことであるような気がする。しばらくのあいだ水を見ないでいると、自分が何かを少しずつ失い続けているような気持ちになる。それは音楽の大好きな人が、何かの事情で長期間音楽から遠ざけられているときに感じる気持ちと、多少似ているかもしれない。僕が海岸のすぐ近くで生まれて育ったということも、いくらか関係しているかもしれない。

水面は日々微妙に変化し、色や波のかたちや流れの速さを変えていく。そして季節は川をとりまく植物や動物たちの相を確実に変貌させていく。いろんなサイズのいろんなかたちの雲がどこからともなく現われては去っていき、川は太陽の光を受けて、その白い像の去来をあるときは鮮明に、あるときは曖昧に水面に映し出す。季節によって、まるでスイッチを切り替えるみたいに風向きが変化する。その肌触りと匂いと方向で、僕らは季節の推移の刻み目《ノッチ》を明確に感じとることができる。そんな実感を伴った流れの中で、僕は自分という存在が、自然の巨大なモザイクの中の微小なピースのひとつに過ぎないのだと認識する。川の水と同じように、橋の下を海に向けて通り過ぎていく交換可

D O. ZIMMAN FIELD
PERIOD
VISITOR
DOWN
TUFTS
TO GO
FAIR PLAY

1995年4月16日、タフツ大学のトラックで。

能な自然現象の一部に過ぎないのだ。

3月になってようやく固い雪が解け、雪どけのあとの嫌なぬかるみも乾いて、人々が厚いコートを脱ぎ、チャールズ河岸に繰り出すころに（河岸の桜が咲き始めるのはもっと先だ。この町では桜は5月に咲く）、「さてそろそろお膳立ても整ったし……」という感じでボストン・マラソンは巡ってくる。

今はまだ10月の初めだ。タンクトップで走っていると、さすがに寒さを感じるようになった。しかし長袖のシャツを着るには早すぎる。ニューヨークのレースまでにはあと一月少しある。そろそろ「マイレージ」を落とし、これまでにたまった疲れを取り除いていかなくてはならない。英語で言うとテーパリング（逓減）の時期だ。これから先どれだけ距離を走り込んでも、もうレースの役には立たない。むしろ足を引っ張ることになる。

これまでの走行記録を振り返ってみると、僕は悪くないペースでレースのための準備を重ねてきたように思える。

6月　　260キロ
7月　　310キロ
8月　　350キロ
9月　　300キロ

走行距離は美しいピラミッド型を描いている。週の走行距離に換算すれば、60キロ↓70キロ↓80キロ↓70キロ。10月はおそらく6月とだいたい同じペース（週に60キロ）で走ることになるだろう。

新しいミズノのランニング・シューズも買った。ケンブリッジの「シティー・スポーツ」で、いろんなメーカーのランニング・シューズを試し履きした結果、今練習で履いているのと同じミズノを選んだ。全体に軽量で、かかとのクッションはいくぶんハードだ。そして例によって、いかにも愛想のない履き心地だ。しかしこのメーカーのシューズには、妙な味付けがされていないぶん、自然な信頼感がもてる。もちろんこれは僕の個人的な感想に過ぎない。人によって好みもあるだろう。以前、ミズノのランニング・シューズの販売担当者と話をする機会があって、そのときに彼は「うちのシューズは地

1994年 4 月18日、ボストン・マラソン当日。中央やや左、紺のウェアが著者。

チャールズ河畔にはいつも
ランナーの姿が。

味なんで目立たないんです。製品には自信があるんですが、なにしろ見た目の愛想がなくて」とこぼしていたが、言いたいことはよくわかる。新奇なギミックもないし、ファッション性にも乏しいし、派手な売り文句もない。だから一般の消費者にはあまりアピールしそうにない（自動車でいえばスバルのイメージに近いかもしれない）。しかしそのソールは確実に、実直に、ソリッドに路面を捉える。経験的に言って、26マイルの行程をともにするには不足のないパートナーだろう。もっとも最近のシューズの性能は飛躍的に向上したから、それなりの価格のものであれば、どのメーカーのものを選んでもそれほど大きな違いはない。それでもちょっとした味付けの差違は感じられるし、ランナーはそのようなささやかな意識のバーストを常に求めているものなのだ。

この新しいシューズを、本番のレースまで一カ月かけて、両足にゆっくりと馴染ませていくことになる。

長いあいだの走り込みがもたらした蓄積疲労がまだ抜けていないから、なかなかスピードが出ない。早朝のチャールズ河沿いをマイペースでのんびりと走っていると、ハーヴァードの新入生らしき女の子たちにどんどん後ろから抜かれていく。彼女たちの多くは小柄で、すらりと痩せていて、ハーヴァードのロゴのついたえんじ色のシャツを着て、金髪をポニーテールにして、新品のｉＰｏｄを聴きながら、風を切るように一直線に道路を走っていく。そこには間違いなく、何かしら攻撃的で挑戦的なものが感じられる。人々を次々に抜いていくことに、彼女たちは慣れているようだ。抜かれることにはおそらく慣れていないのだろう。彼女たちは見るからに優秀で、健康で、魅力的で、シリアスで、そして自らに確信をもっている。彼女たちの走りは、多くの場合どう見ても、長距離向きの走りではない。典型的な中距離ランナーの走りだ。ストライドは長く、蹴りは鋭く、強い。まわりの風景を眺めながらのんびり走るということはおそらく、彼女たちのメンタリティーには馴染まないのだろう。

それに比べると僕は、自慢するわけではないけれど、負けることにはかなり慣れている。世の中には僕の手に余るものごとが山ほどあり、どうやっても勝てない相手が山ほどいる。しかしたぶん彼女たちはまだ、そういう痛みをあまり知らないのだろう。そしてまた当然のことながら、そんなことを今からあえて知る必要もないのだ。彼女たちのゆらゆらと揺れる誇らしげなポニーテールと、ほっそりとした好戦的な脚を眺めながら、僕はそのようなことをあてもなく考える。そしてペースを守りながらのんびりと川沿いの道を走る。

　僕の人生にもそのような輝かしい日々が、かつては存在したのだろうか？　そうだな、ちょっとくらいはあったかもしれない。しかし、もし仮にそのころの僕が長いポニーテールを持っていたとしても、それは彼女たちのポニーテールほど誇らしげには揺れていなかっただろうという気がする。そして僕の当時の脚は、今の彼女たちの脚ほど力強く地面を蹴ってはいなかったはずだ。しかしまあ、それも当然といえば当然のことだろう。なにしろ彼女たちは天下のハーヴァード大学の、ぴかぴかの新入生なのだから。

　でも彼女たちの走る姿を眺めているのは、それなりに素敵だ。このようにして世界は確実に受け継がれていくのだなと、素朴に実感する。それは結局のところ、世界の中し送り事項のようなものなのだ。だから彼女たちに背後から抜かれていっても、べつに悔しいという気持ちはわいてこない。彼女たちには彼女たちに相応《ふさわ》しいペースがあり、時間性がある。僕には僕に相応しいペースがあり、時間性がある。それらはまったく異なった成り立ちのものだし、異なっていて当たり前である。

　朝、川べりのコースで、だいたい同じ時間に顔を合わせる人々がいる。インド人の小柄な婦人が一人で散歩をしている。年齢は六十代だろうか、顔立ちは上品で、いつも小綺麗ななりをしている。そして不思議に――あるいはちっとも不思議なことではないのかもしれないが――毎日違う服を着ている。瀟洒《しょうしゃ》なサリーに身を包んでいることもあれば、大学のネームの入った大振りなスエットシャツを着込んでいることもある。しかし（もし僕の記憶が正しければだが）一度として、彼女が同じ服を身につけているのを目にしたことがない。彼女が今日はどんな服を着ているのかをチェックするのも、早朝ランニングにおける僕のささやかな楽しみのひとつになっている。

大きな真っ黒な補正器具を右脚につけて、早足で散歩しているおじさんもいる。大柄の白人だ。何か大きな怪我をしたあとなのかもしれない。しかしその補正器具はもう――僕が知っているだけで――四カ月もつけたままだ。彼の右脚にいったい何が起こったのだろう？　いずれにせよ、歩行するにはまったく問題がないようで、この人はかなり速いスピードで歩いている。大振りなヘッドフォンで音楽を聴きながら、黙々と、きっぱりとした速度で川沿いの道を歩く。

昨日はローリング・ストーンズの『ベガーズ・バンケット』を聴きながら走った。『悪魔を憐れむ歌』の「ホッホー」という例のファンキーなバックコーラスは、走るのには実にぴったりだ。その前日はエリック・クラプトンの『レプタイル』を聴きながら走った。どちらもけちのつけようのない音楽だ。心にしみるし、何度聴いても飽きない。とくに『レプタイル』は、走りながらずいぶん何度も聴いた。個人的な意見を言わせてもらえれば、『レプタイル』はゆっくりとランニングをする朝に聴くにはうってつけのアルバムである。押しつけがましさやわざとらしさが微塵もない。リズムは常に確実であり、メロディーはあくまで自然だ。僕の意識は静かに音楽に引き込まれ、僕の両足はリズムに合わせて規則的に前に踏み出され、後ろに蹴られる。ヘッドフォンから流れる音楽に混じって、ときどき後ろから「左を行くよ（On your left!）」という叫びが聞こえる。そして競技用の自転車がしゅうっという音を立てて、僕の左側を走り過ぎる。

小説を書くことについての更なる——走りながらの——考察。

「村上さんみたいに毎日、健康的な生活を送っていたら、そのうちに小説が書けなくなるんじゃありませんか？」みたいなことをときどき人に言われる。外国にいるときにはあまり言われないけれど、日本ではそういう意見を持つ人がけっこうたくさんいるようだ。小説を書くということは、即ち不健康な行為であり、作家たるものは公序良俗から遠く離れたところで、できるだけ健全ならざる生活を送らなくてはならない。そうすることによって、作家は俗世と訣別し、芸術的価値を持つ純粋な何かにより近接することができるのだ——といった通念のようなものが世間には根強く存在する。長い歳月をかけて、そういう芸術家＝不健康（退廃的）という図式が作り上げられてきたらしい。映画やテレビ・ドラマには、よくこういうステレオタイプの——よく言えば神話的な——作家が登場する。

小説を書くのが不健康な作業であるという主張には、基本的に賛成したい。我々が小説を書こうとするとき、つまり文章を用いて物語を立ち上げようとするときには、人間存在の根本にある毒素のようなものが、否応なく抽出されて表に出てくる。作家は多かれ少なかれその毒素と正面から向かい合い、危険を承知の上で手際よく処理していかなくてはならない。そのような毒素の介在なしには、真の意味での創造行為をおこなうことはできないからだ（妙なたとえで申しわけないが、河豚《ふぐ》は毒のあるあたりがいちばん美味い、というのにちょっと似ているかもしれない）。それはどのように考えても「健康的」な作業とは言えないだろう。

要するに芸術行為とは、そもそもの成り立ちからして、不健全な、反社会的要素を内包したものなのだ。僕はそれを進んで認める。だからこそ作家（芸術家）の中には、実生活そのもののレベルから退廃的になり、あるいは反社会的な衣裳をまとう人々が少なくない。それも理解できる。というか、そのような姿勢を決して否定するものではない。

しかし僕は思うのだが、息長く職業的に小説を書き続けていこうと望むなら、我々はそのような危険な（ある場合には命取りにもなる）体内の毒素に対抗できる、自前の免疫システムを作り上げなくてはならない。そうすることによって、我々はより強い毒素を正しく効率よく処理できるようになる。言い換えれば、よりパワフルな物語を立ち上げられるようになる。そしてこの自己免疫システムを作り上げ、長期にわたって維持していくには、生半可ではないエネルギーが必要になる。どこかにそのエネルギーを求めなくてはならない。そして我々自身の基礎体力のほかに、そのエネルギーを求めるべき場所が存在するだろうか？

誤解されると困るのだが、そういうやり方が作家にとって唯一の正しい道だと主張しているわけではない。文学にはいろんな種類の文学があるように、作家にもいろんな種類の作家がいる。そしてそれぞれの作家が、それぞれに異なった世界観を持っている。扱うものも違うし、目指すところも違っている。だから小説家にとっての唯一の正しいやり方、みたいなものはどこにもない。当たり前のことだ。しかし僕自身について言わせていただければ、「基礎体力」の強化は、より大柄な創造に向かうためには欠くことのできないものごとのひとつだと考えているし、それはやるだけの価値のあることだ（少なくともやらないよりはやった方がずっといい）と信じている。そして、ずいぶん平凡な見解ではあるけれど、よく言われるように、やるだけの価値のあることには、熱心にやるだけの（ある場合にはやりすぎるだけの）価値がある。

真に不健康なものを扱うためには、人はできるだけ健康でなくてはならない。それが僕のテーゼである。つまり不健全な魂もまた、健全な肉体を必要としているわけだ。逆説的に聞こえるかもしれない。しかしそれは、職業的小説家になってからこのかた、僕が身をもってひしひしと感じ続けてきたことだ。健康なるものと不健康なるものは決して対極に位置しているわけではない。対立しているわけでもない。それらはお互いを補完し、ある場合にはお互いを自然に含みあうことができるものなのだ。往々にして健康を指向する人々は健康のことだけを考え、不健康を指向する人々は不健康のことだけを考える。しかしそのような偏りは、人生を真に実りあるものにはしない。

若いときに優れた美しい、力のある作品を書いていた作家が、ある年齢を迎えて、疲弊の色を急激に濃くしていくことがある。「文学やつれ」という言葉がぴったりするような、独特のくたびれ方をする。書くものは相変わらず美しいかもしれない。またそのやつれ方にはそれなりの味わいがあるかもしれない。しかしその創作エネルギーが減衰していることは、誰の目にも明らかだ。それは彼／彼女の体力が、自分の扱っている毒素に打ち勝てなくなってきた結果ではないだろうかと僕は推測する。これまで毒素を自然に凌駕してきたフィジカルな活力が、ひとつのピークを過ぎて、その免疫効果を徐々に失っていったのだ。そうなると彼／彼女は、従来のような主体的創造を続けていくことがむずかしくなる。想像力と、それを支える肉体能力とのバランスが崩れてしまったのだ。あとは、それまで培《つちか》ってきたテクニックや方法をうまく用い、余熱のようなものを利用して作品の形をただととのえていくしかない。それはごく控え目に表現して、決して心愉しい人生の道のりではないはずだ。人によっては、そこで自らの命を絶ってしまうこともある。あるいはあっさりと創作をあきらめ、別の道に進んでいく人々もいる。

僕はできることなら、そういう「やつれ方」を避けたいと思う。僕の考える文学とは、もっと自発的で、求心的なものだ。そこには自然な前向きの活力がなくてはならない。僕にとって小説を書くのは、峻険な山に挑み、岩壁をよじのぼり、長く激しい格闘の末に頂上にたどり着く作業だ。自分に勝つか、あるいは負けるか、そのどちらかしかない。

そのような内的なイメージを念頭に置いて、いつも長編小説を書いている。

言うまでもなくいつかは人は負ける。肉体は時間の経過とともに否応なく滅びていく。遅かれ早かれ敗退し、消滅する。肉体が滅びれば、（まずおそらく）精神も行き場を失ってしまう。そのことはよく承知している。しかしそのポイントを――つまり僕の活力が毒素に敗退し凌駕されていくポイントを――少しでも先に延ばせればと思う。それが小説家としての僕の目指していることだ。とりあえず今のところ、僕には「やつれている」ような暇はない。だからこそ「あんなのは芸術家じゃない」と言われても、僕は走り続ける。


10月6日にＭＩＴ（マサチューセッツ工科大学）でリーディングがあり、人前でしゃべらなくてはならないので、今日はそのスピーチの練習をしながら（もちろん声には出さず）走る。そういうときにはもちろん音楽を聴かない。頭の中でひそひそと英語をしゃべっている。

日本にいるときは、人前でしゃべるという機会はほとんどない。講演みたいなこともやらない。でも英語ではこれまでに何度か講演をやっているし、これから先もたぶん機会があればやることになるだろう。妙な話だけれど、人前で話すということに限っていえば、日本語でやるよりは（いまだにかなり不自由な）英語でやる方がむしろ気楽なのだ。それはたぶん、日本語で何かまとまったことを話そうとすると、自分が言葉の海に呑み込まれてしまったような感覚に襲われるからだろう。そこには無限の選択肢があり、無限の可能性がある。僕は文筆家としてあまりにもぴったりと日本語に密着してしまっている。だから日本語で不特定多数の人々に向かって話をしようとすると、その豊饒《ほうじよう》な言葉の海の中で戸惑い、フラストレーションが高まる。

日本語に関していえば、僕はやはりできる限り、机に向かって一人で文章を書くという営為にしがみついていたいと思う。文章というホームグラウンドでは、僕はそれなりに自在に有効に言葉と文脈をキャッチし、かたちに換えていくことができる——なにしろそれが仕事だから。しかしそのようにしてつかみ取られたはずのものを、人前で実際に声に出して語ってみると、そこから何かが（何か重要なものが）こぼれ落ちていくという切実な感覚がある。そのようなある種の乖離にたぶん僕は納得できないのだろうと思う。もちろん現実的には、なるべく自分の顔をパブリックなものにしたくない——街を歩いていて誰かに声をかけられたりするのがいやだから——ということが、人前に出ない最大の理由になっているわけだが。

　しかし外国語を用いて話を組み立てようとすれば、僕に与えられた言語的選択肢と可能性は必然的に限られたものになるから（英語の本を読むのは好きだけれど、英会話はかなり不得意なのだ）、そのぶんかえって気楽な気持ちで場に臨むことができる。どうせ外国語なんだから仕方ないじゃないか、と。それは興味深い発見だった。もちろん準備に手間はかかる。講演をする場合は、三十分か四十分くらいの英語のスピーチ原稿をそっくり頭に入れて、演壇に上らなくてはならない。原稿をいちいち読み上げながら、聴衆に生きた感情を伝えることはできないからだ。人々に音声的に理解しやすい言葉を選ばなくてはならないし、聴衆をリラックスさせるためにある程度笑いもとらなくてはならない。僕という人間の人柄みたいなものを、相手にうまく伝えなくてはならない。話を聞いてもらうために、そこにいる人々を一時的にせよ、僕の味方につけてしまわなくてはならない。そのために何度も何度も話し方の練習をする。これは手間のかかる作業だ。しかしそこには、自分が何か新しいものに挑戦しているのだという手応えがある。

　走るのは、スピーチなんかを暗記する作業に向いているような気がする。ほとんど無意識に脚を運びながら、頭の中で順番に言葉を並べていく。文章のリズムを測り、言葉の響きを想定する。そうやって意識をどこか別のところに置きながら走っていると、無理のない自然なスピードで、長い時間ジョグが続けられる。ただ頭の中で話をしながら、つい表情をつけたり、ジェスチャーを交えたりしてしまうことがあって、走りながらこれをやっていると、向かいから走ってくる人に不思議な顔をされる。

今日は走りながら、大きなむっくりとしたカナダ・グースが一羽、チャールズ河の水辺で死んでいるのをみつけた。リスも一匹、木の根もとで死んでいた。深く眠るように彼らは死んでいた。その表情はただ静かに、生命の終わりを受け入れていた。何かからやっと解放されたみたいに見えなくもなかった。それから川べりのボートハウスの近くで、汚れた服を重ね着したホームレスの男が一人、ショッピングカートを押しながら大声で『アメリカ・ザ・ビューティフル』を歌い上げていた。それが留保なき心からの歌声なのか、ある種の深い皮肉なのか、通りがかりの僕には見分けることはできなかった。

いずれにせよ、カレンダーが10月に切り替わった。あっという間に一カ月が終わってしまう。厳しい季節がすぐそこに迫っているのだ。

第６章　1996年６月23日
北海道サロマ湖

もう誰もテーブルを叩かず、
誰もコップを投げなかった

あなたは100キロを一日のうちに走り通したことがあるだろうか？　世間の圧倒的多数の人は（あるいは正気を保っている人は、というべきか）、おそらくそのような経験をお持ちにならないはずだ。普通の健常な市民はまずそんな無謀なことはやらない。僕は一度だけある。朝から夕方までかけて100キロのレースを完走した。身体の消耗はもちろん激しかったし、レースのあとしばらくは、もう当分走るのはごめんだという気持ちにもなった。だから二度とそんなことはやらないだろうと思うのだが、未来のことは誰にもわからない。懲《こ》りもせず、いつかまたウルトラ・マラソンに挑戦する日が巡ってくるのかもしれない。明日が何を運んでくるのか、それは明日になってみないとわからないのだ。

とはいえ、今思い起こしてみると、このレースはランナーとしての僕にとって浅くない意味を持つ出来事であったことがわかる。１００キロを一人で走りきるという行為にどれほどの一般的な意味があるのか、僕にはわからない。しかしそれは、「日常性を大きく逸脱してはいるが、基本的には人の道に反していない行為」の常として、おそらくある種とくべつな認識を、あなたの意識にもたらすことになる。自己に対するあなたの観照に、いくつかの新しい要素を付け加えることになる。その結果としてあなたの人生の光景は、その色合いや形状を変容させていくことになるかもしれない。多かれ少なかれ、良かれ悪しかれ。僕の場合にもそのような変容はあった。

このあとに続くのは、レースの数日後に「忘れないうちに」と思って書きとめておいた心象スケッチのような文章を整理したものだ。十年ぶりに読み直してみると、そのとき走りながら考えたり感じたりしていたことが、ずいぶん鮮やかによみがえってくる。その過酷なレースが僕の中にどのようなもの――喜ぶべきもの、そしてそれほど素直には喜べないもの――を残していったか、おおまかなところをみなさんにも理解していただけるかもしれない。「そんなものよくわからん」と言われるだけかもしれないが。

＊＊＊

サロマ湖100キロウルトラマラソンは毎年6月に、梅雨のない北海道でおこなわれる。北海道の初夏は気持ちの良い季節ではあるが、サロマ湖のある北部に本物の夏が訪れるのはまだまだ先のことだ。スタート時刻の早朝はとくにしんしんと冷える。身体を冷やさないように、じゅうぶんに厚着をしていかなくてはならない。日が高く昇り、身体が徐々に暖まってくると、まるで変容を重ねて成長していく虫のように、ランナーは走りながら着ているものを一枚一枚あとに脱ぎ捨てていくことになる。最後まで手袋はとれないし、タンクトップではいささか寒すぎる。もし雨が降ったら、かなり冷えこむことになるはずだ。しかしありがたいことに当日、空は終始雲に覆われていたものの、最後まで一滴の雨も降らなかった。

ランナーはオホーツク海に面したサロマ湖のまわりを、ぐるりと走る。実際に走ってみるとわかるが、これはとてつもなく大きな湖だ。湖の西側にある湧別《ゆうべつ》町がスタート地点で、東側にある常呂《ところ》町（現北見市）がゴールになる。最後の方で（85キロから98キロまで）はワッカ原生花園という、海に面した細長く広大な自然公園の中を走って抜ける。

コースとしては——もし仮に風景を観賞するような余裕があるとすればだが——とても美しい。全コースにわたって交通規制みたいなものはないが、もともと車も人も極端に少ないところなので、とくにそんな必要もないのだ。沿道では牛たちがのんびりと草を食《は》んでいる。牛たちはランナーにはほとんど興味を示さない。草を食べることに忙しくて、物好きな人々の常識を欠いた行為にかまっているような暇はないのだ。またランナーの方にも牛たちの動向に注意を払っているような余裕はない。42キロを過ぎてからは10キロごとに関門があり、制限時間内にここを通過しないと自動的に失格になってしまう。毎年かなり多くのランナーが失格処分を受ける。なかなか制限の厳しい大会なのだ。走ることを目的としてわざわざ日本の北端近くまでやってきて、途中で失格処分を受けたりしたくない。何があっても制限時間だけはクリアしたい。

このレースは日本におけるウルトラ・マラソンの草分けのひとつで、大会は地元の人々の手できわめて円滑に、機能的に運営されている。走っていてとても気持ちの良い、走りやすい大会だった。

スタートから55キロにある休憩地点（レスト・ステーション）までの道のりについて

は、さして語るべきことはない。ただ黙々と走っていただけだ。日曜日の朝のロングランと基本的には変わりない。キロ6分のジョグ・ペースを保っていけば、100キロは10時間で走れる。そこに休憩や食事の時間を入れて、なにやかやで11時間以内に収められれば、というのが僕の心づもりだった(それが甘い考えであったことはあとで判明する)。

42キロの地点に「ここまでがフル・マラソンの距離です」という表示がある。コンクリートの上に白いラインが一本くっきり引いてある。そのラインをまたいで越えたときには、大げさにいえば軽い身震いを感じた。42キロより長い距離を走ることは、生まれて初めての体験である。つまりそこが僕にとってのジブラルタル海峡なのだ。そこから未知の外海に乗り出す。この先にいったい何が待ち受けているのか、どんな未知の生物がそこに生息しているのか、見当もつかない。大昔の水夫が感じたであろう畏怖の念を、及ばずながら身のうちに感じることになる。

そのラインを越えて、50キロ地点に近づいてきたあたりで、身体の感じが少し変わったかなという感触があった。脚の筋肉が硬くなり始めているみたいだ。腹も減ったし、喉も渇いた。給水地点があれば、喉が渇いていなくても、必ず水を少しは補給するように心がけていたのだが、それでも脱水はまるで不吉な宿命のように、暗い心を抱えた夜の女王のように、今からのあとを追いかけてきた。微かな不安が脳裏をよぎる。まだ半分も走ってないのに、今からこんなで、本当に100キロを走り通せるのか？

　55キロの休憩地点で新しいウェアに着替え、うちの奥さんが用意しておいてくれた軽食をとる。日が昇り気温があがってきたので、ハーフタイツを脱ぎ、シャツとパンツを新しい軽いものに替える。ニューバランスのウルトラ・マラソン専用シューズ（信じていただきたい。そんなものがこの世界にはちゃんと存在するのだ）をサイズ8からサイズ8・5のものに履き替える。足がむくみ始めており、靴のサイズをひとつ大きなものにする必要がある。ずっと曇っていて、日は差さなかったから、日除けの帽子は脱ぐことにした。帽子には雨で頭が冷えることを防ぐための目的もあるが、今のところ雨が降り出しそうな気配もなかった。暑すぎないし、寒すぎない。長距離を走るにはまず理想的なコンディションだ。ゼリー状の栄養剤を二つ流し込み、水分を補給し、バターつきのパンとクッキーを食べた。芝生の上で念入りにストレッチをやって、ふくらはぎに筋肉消炎スプレーをかける。顔を洗って汗とほこりを落とし、トイレに行って用を足す。

　ここでだいたい十分くらい休憩していたが、そのあいだ一度も腰を下ろさなかった。

いったん座り込んだら、もう一度立ち上がって走り始めることがむずかしくなるんじゃないかという気がした。だから用心して座らなかった。

「大丈夫？」ときかれる。

「大丈夫だよ」と僕は簡潔に答える。それ以外に答えようがない。

水分を補給し、下半身のストレッチングをしてから道路に出て、再び走り始める。残りは45キロ、ただゴールまで走り続けるだけだ。でも走り出したとたんに、自分がまともに走れるような状態にないことに気づく。脚の筋肉がこわばり、固まった古いゴムのようになってしまっている。スタミナはまだじゅうぶんにある。呼吸も正常で乱れてはいない。ところが脚だけが言うことを聞いてくれない。「さあ、走ろう」という気持ちはしっかりあるのだが、脚は脚で僕とはいくぶん違った考え方をしているらしい。

仕方ないから言うことを聞かない脚に見切りをつけ、上半身を中心にした走り方に変えてみる。腕を大きく振って上半身をスイングさせ、そのモーメントを下半身に伝える。その力を利用して両脚を前に押し出す（おかげでレース後に手首が腫れ上がることになるのだが）。もちろんのろのろとしか走れない。早足で歩くのとさして違わないくらいのスピードだ。でもそうしているうちに、少しずつ少しずつ思い出したように、あるいは観念したように、脚の筋肉が動きをとりもどし、通常に近い感じでなんとか走れるようになった。ありがたい。

しかし脚は動き始めたものの、55キロ休憩地点から75キロまでは、とんでもなく苦しかった。緩めの肉挽き機をくぐり抜けている牛肉のような気分だった。前に進まなくてはという意欲はあるのだが、とにかく身体全体が言うことを聞いてくれない。車のサイドブレーキをいっぱいに引いたまま、坂道をのぼっているみたいだ。身体がばらばらになって、今にもほどけてしまいそうだった。オイルが切れ、ねじがゆるみ、歯車の数が違っている。スピードは急速に落ちていって、後ろから来るランナーに次々に抜かれていった。七十歳くらいの小柄な女性ランナーにも抜かれた。「がんばってね」と彼女は僕に声をかけてくれる。参ったな、これからいったいどうなるんだろう？　あとこの先40キロもあるというのに。

走っているあいだに、身体のいろんな部分が順番に痛くなっていった。右の腿がひとしきり痛み、それが右の膝に移り、左の太腿に移り……という具合に、ひととおりの身体の部分が入れ替わり立ち替わり、立ち上がってそれぞれの痛みを声高に訴えた。悲鳴を上げ、苦情を申し立て、窮状を訴え、警告を発した。彼らにとっても、１００キロを走るなんていうのは未知の体験だし、みんなそれぞれに言い分はあるのだ。それはよくわかる。しかし何はともあれ、今は耐えて黙々と走り抜くしかない。強い不満を抱え、反旗を翻《ひるがえ》そうとするラディカルな革命議会をダントンだかロベスピエールだかが弁舌を駆使して説得するみたいに、僕は身体の各部を懸命に説き伏せる。励まし、すがり、おだて、叱りつけ、鼓舞する。あと少しのことなんだ。ここはなんとかこらえてがんばってくれ、と。しかし考えてみれば――と僕は考える――二人とも結局は首をはねられてしまったんだよな。

いずれにせよ、なんとかかんとか、この苦痛に満ちた20キロを、歯を食いしばってしのいだ。ありとあらゆる手段を用いてやり過ごした。

「僕は人間ではない。一個の純粋な機械だ。機械だから、何を感じる必要もない。前に進むだけだ」

そう自分に言い聞かせた。ほとんどそれだけを思って耐えた。もし自分が血も肉もある生身の人間だと考えたりしたら、苦痛のために途中であるいは潰れていたかもしれない。自分という存在はたしかにここにある。それに付随して自己という意識もある。しかし今のところそれらはいわば「便宜的な形式」みたいなものに過ぎないんだと考えよ

55キロのレスト・ステーションで着替えをすませ、アップダウンの大きいコース最大の難所に挑む。

う と努めた。それは奇妙な考え方であり、奇妙な感覚だった。意識のあるものが意識を否定しようとするわけだから。でもとにかく自分を少しでも無機的な場所に追い込んでいかなくてはならない。そうするしか生き延びる道はないと、本能的に悟ったのだ。「僕は人間ではない。一個の純粋な機械だ。機械だから、何を感じる必要もない。ひたすら前に進むだけだ」

その言葉を頭の中でマントラのように、何度も何度も繰り返した。文字通り「機械的」に反復する。そして自分の感知する世界をできるだけ狭く限定しようと努める。僕が目にしているのはせいぜい3メートルほど先の地面で、それより先のことはわからない。僕のとりあえずの世界は、ここから3メートル先で完結している。その先のことを考える必要はない。空も、風も、草も、その草を食べる牛たちも、見物人も、声援も、湖も、小説も、真実も、過去も、記憶も、僕にとってはもうなんの関係もないものごとなのだ。ここから3メートル先の地点まで足を運ぶ——それだけが僕という人間の、いや違う、僕という機械のささやかな存在意義なのだ。

5キロごとにある給水所で立ち止まって水を飲む。立ち止まるたびに、こまめに筋肉のストレッチをやった。筋肉は食べ残した一週間前の給食のパンみたいに硬くこわばっていた。とても自分の筋肉とは思えない。梅干しの置いてあるところでは梅干しを食べた。梅干しがこれほど美味しいものだとは思わなかった。口の中で塩分と酸味が広がり、じわじわと身体全体に沁みわたっていった。

無理をして走り続けるよりは、ある程度歩いた方が賢明だったのかもしれない。多くのランナーはそうしていた。歩きながら脚を休める。でも僕は一度も歩かなかった。ストレッチングのための休憩はこまめにとった。しかし歩かない。僕はなにも歩くためにこのレースに参加したんじゃない。走るために参加したのだ。そのために――そのためだけに――飛行機に乗ってわざわざ日本の北端にまでやってきたのだ。どんなに走るスピードが落ちたとしても、歩くわけにはいかない。それがルールだ。もし自分で決めたルールを一度でも破ったら、この先更にたくさんのルールを破ることになるだろうし、そうなったら、このレースを完走することはおそらくむずかしくなる。

こうして我慢に我慢を重ねてなんとか走り続けているうちに、75キロのあたりで何かがすうっと抜けた。そういう感覚があった。「抜ける」という以外にうまい表現を思いつけない。まるで石壁を通り抜けるみたいに、あっちの方に身体が通過してしまったのだ。いつ抜けたのか、正確な時点は思い出せない。でも気がついたときには、僕は既に向こう側に移行していた。それで「ああ、これで抜けたんだな」とそのまま納得した。理屈や経過や筋道についてはよくわからないものの、とにかく「抜けた」という事実だけは納得できた。

それからあとはとくに何も考える必要はなかった。もっと正確に言えば、「何も考えないようにしよう」と意識的に努める必要がなくなった、ということだ。生じた流れを、自動的にたどり続けるだけでいい。そこに身を任せれば、何かの力が僕を自然に前に押し出してくれた。

こんなに長い時間走り続けているのだから、肉体的に苦しくないわけがない。でもそのころには、疲れているということは、僕にとってそれほど重大な問題ではなくなってしまっていた。疲弊していることが、いわば「常態」として僕の中に自然に受け入れられていった、ということかもしれない。一時は沸き立っていた筋肉の革命議会も、今ある状態についていちいち苦情を申し立てることをあきらめたようだった。もう誰もテーブルを叩かず、誰もコップを投げなかった。彼らはその疲弊を、歴史的必然として革命的成果として、ただ黙して受容していた。そして僕は規則的に腕を前後に振り、脚を一

97キロ、ワッカ原生花園を
抜ける。

歩ずつ前に差し出すだけの自動的な存在と化していた。何も考えない。何も思わない。気がつくと、肉体的苦痛すらほぼ姿を消してしまっている。あるいは事情があって処分できない醜い家具のように、どこか目につかないところに押しやられてしまっている。

そんな風に「抜けてしまった」あと、たくさんのランナーを追い抜いた。75キロの関門（ここを8時間45分以内に通過しないと失格になる）を過ぎたあたりからは、僕とは逆に多くのランナーがスピードをがっくりと落とし、あるいは走るのをあきらめて歩き始めていた。そこからゴールに入るまでに、たぶん二百人くらいは抜いたと思う。少なくとも二百人までは数えた。背後から抜かれたのは一度か二度だけだった。抜いたランナーの数をいちいち勘定していたのは、ほかにとくにやることがなかったからだ。自分がこのような深い疲弊の中にあって、それを全面的に引き受けた上で、しかもこうして着実に走り続けていられるという事実がそこにあり、僕としては、それを超えて世界に望むべきことなど何ひとつなかった。

自動操縦のような状態に没入してしまっていたから、そのままもっと走っていろと言われたら、１００キロ以上だっておそらく走っていられたかもしれない。変な話だけれど、最後のころには肉体的な苦痛だけではなく、自分が誰であるとか、今何をしているだとか、そんなことさえ念頭からおおむね消えてしまっていた。それはとてもおかしな気持ちであるはずなのだが、僕はそのおかしさをおかしさとして感じとることさえできなくなっていた。そこでは、走るという行為がほとんど形而上的な領域にまで達していた。行為がまずそこにあり、それに付随するように僕の存在がある。我走る、故に我あり。

フル・マラソンを走っていると最後のころには、一刻も早くゴールインして、とにかくこのレースを走り終えてしまいたいという気持ちで頭がいっぱいになる。ほかのことは何も考えられなくなる。でもそのときには、そんなことはちらりとも思わなかった。終わりというのは、ただとりあえずの区切りがつくだけのことで、実際にはたいした意味はないんだという気がした。生きることと同じだ。終わりがあるから存在に意味があるのではない。存在というものの意味を便宜的に際だたせるために、あるいはまたその有限性の遠回しな比喩として、どこかの地点にとりあえずの終わりが設定されているだけなんだ、そういう気がした。かなり哲学的だ。でもそのときにはそれが哲学的だなんてちっとも思わなかった。言葉ではなく、ただ身体を通した実感として、いわば包括的にそう感じただけだ。

長い長い半島状になった最後の原生花園のコースに入ってからは、そんな気持ちがとりわけ強くなっていった。瞑想状態にも似た走り方になった。海辺の景色は美しく、オホーツクの海の匂いが感じられた。既に夕暮れが始まって（出発したのは早朝だったのだが）、空気が独特の澄みわたり方をしていた。夏の初めの、深い草の匂いもした。数頭の狐たちが野原の中に群れているのも見えた。彼らは物珍しげにランナーたちを見ていた。十九世紀のイギリスの風景画に出てくるような意味深げな雲が、重厚に空を覆っていた。風はまったくない。僕のまわりで多くの人々が、ただ黙々とゴールに向かって歩を運んでいた。そんな中にあって、僕はとても静かな幸福感を抱くことができた。息を吸い込み、息を吐き出す。呼吸音には乱れは聞きとれない。空気はとても穏やかに僕の中に入り、そして僕の外に出ていく。僕の無口な心臓は一定の速度で膨張と縮小を繰り返している。僕の肺は働き者のふいごのように律義に、新しい酸素を体内に取り込んでいく。僕は彼らの働く姿を目にし、彼らの立てる音を聞きとることができた。すべては問題なく稼働している。沿道の人々が「がんばれよ、もう少しだから」と大きな声をかけてくれる。その声は透明な風として、僕の身体をただ通り抜けていく。人々の声が向こう側までそのまま通り抜けていくのを感じることができる。

ゴール！　11時間42分、100キロ完走。

僕は僕であって、そして僕ではない。そんな気がした。それはとても物静かな、しんとした心持ちだった。意識なんてそんなにたいしたものではないのだ。そう思った。もちろん僕は小説家だから、仕事をするうえで意識というのはずいぶん重要な存在になってくる。意識のないところに主体的な物語は生まれない。それでも、そう感じないわけにはいかなかった。意識なんてとくにたいしたものでもないんだと。

それでも常呂町のゴールを通過したときは、心から嬉しかった。長距離レースのゴールに入るのはもちろんいつだって嬉しいものだけれど、今回はさすがに胸が少しだけ熱くなった。右手のこぶしを宙でぎゅっと握りしめる。時刻は午後4時42分。スタートしてから11時間42分が経過していた。

半日ぶりにやっと地面に座り込み、タオルで汗を拭き、水を思いきり飲み、シューズの紐をほどき、あたりがゆっくりと暮れていく中で、入念に足首のストレッチをする。誇りというほどたいしたものではないが、それなりの達成感のようなものが、このあたりでやっと思いついたみたいに胸にこみ上げてくる。それは「リスキーなものを進んで引き受け、それをなんとか乗り越えていくだけの力が、自分の中にもまだあったんだ」という個人的な喜びであり、安堵だった。喜びよりは安堵感の方が、むしろ強かったかもしれない。体の中で堅く締まっていた結び目のようなものが、だんだんほどけていくのが感じられる。そんなものが自分の中に存在したことすら気づかなかったのだが。

＊＊＊

サロマ湖のレースの直後は、手すりにしがみついてそろそろと階段を下りなくてはならなかった。脚ががくがくして、うまく身体を支えてくれない。しかし両脚の疲労は数日のうちに回復し、普通に階段の上り下りができるようになった。なんのかのいっても、僕の両脚は長距離を走るように長年にわたって調整されてきたのだ。問題が起きたのは、前にも述べたように手の部分だった。脚の筋肉の疲れをカバーするために、手を強くスイングしすぎたせいだろう。翌日になって右の手首が痛みを訴え、赤く大きく腫れ上がった。長いあいだマラソンを走ってきたが、走ったあとで脚ではなく手に問題が生じたのは初めてだ。

しかしウルトラ・マラソンの体験が僕にもたらした様々なものごとの中で、もっとも重要な意味を持ったのは、肉体的なものではなく、精神的なものだった。もたらされたのはある種の精神的虚脱感だった。ふと気がつくと、「ランナーズ・ブルー」とでもいうべきものが（感触から言えばそれはブルーではなく、白濁色に近いのだが）薄いフィルムのように僕を包んでいた。ウルトラ・マラソンを走り終えたあと、僕は走るという行為自体に対して、以前のような自然な熱意を持つことができなくなってしまったようだった。もちろん現実的に肉体的な疲れがなかなかとれなかったということもあるけれど、それだけではない。「走りたい」という意欲が、自分の中に以前ほどは明確に見いだせなくなったのだ。何故かはわからない。しかしそれは打ち消しがたい事実だった。僕の中で何かが起こったのだ。日々のジョギングの回数も距離もめっきりと減っていった。

そのあとも前と同じように毎年一度はフル・マラソンを走り続けた。言うまでもないことだが、生半可な気持ちでフル・マラソンを完走することはできない。だからそれなりに真剣に練習をし、それなりに真剣にレースを完走した。しかしそれはあくまで「それなりに」の領域にとどまっていた。僕の身体の芯に、何かしら見慣れないものが腰を据えたようだった。ただ単に走る意欲が減じたというだけではない。何かが失われたのと同時に、新たな何かがランナーとしての僕の中に生じたのだ。そしておそらくは、そのような出し入れのプロセスが僕に、この見慣れぬ「ランナーズ・ブルー」をもたらすことになったのだ。

僕の中に新たに生じたもの？　ぴったりした言葉が見つけられないのだが、それはあるいは「諦観」に近いものだったかもしれない。１００キロレースを完走することによって、大げさにいえば僕は「ちょっと違う場所」に足を踏み入れてしまったようだった。75キロを過ぎて疲弊感がどこかにふっと消えてしまってからの意識の空白化には、なにかしら哲学的な、あるいは宗教的な趣さえあった。そこには僕に何らかの内省を強いるものがあるようだった。そのせいで僕は、走るという行為に対して、以前のような「何がなんでも」という、単純に前向きな気持ちを持てなくなってしまったのかもしれない。

いや、実際はそれほど大それたことではないかもしれない。僕はただ、走るという行為にいくぶん飽いてきたというだけなのかもしれない。長い歳月にわたってあまりに多くの距離を走りすぎたのだ。それとも四十代も後半を迎え、フィジカルな能力の面で、年齢という避けがたい壁に直面していたのかもしれない。自分が肉体的なピークを過ぎたことをあらためて実感したのかもしれない。あるいは総合的な男性更年期みたいなものを迎え、それがもたらす精神的な落ち込みを（よくわからないうちに）くぐり抜けていたのかもしれない。あるいはそんなもろもろの要素が合わさって、得体の知れないネガティブなカクテルのようなものが作り上げられていったのだろうか。当事者である僕には、そのへんのところを客観的に分析し、腑分《ふわ》けすることはできない。いずれにせよ僕はそれを「ランナーズ・ブルー」と名づけた。

ウルトラ・マラソンを完走したことは、言うまでもなく大きな喜びをもたらしたし、それなりの自信も生まれた。走ってよかったと今でも思っている。しかしそこには「後遺症」と呼ぶべきものもあった。そのあと長期間にわたって、僕は長距離ランナーとしてのスランプ(というほど輝かしい過去があったわけではないのだが、それでも)を迎えることになった。フル・マラソンのタイムは走るたびにじりじりと落ちていった。練習もレースも、多少の差こそあれ、すべては同じことの儀式的反復に過ぎなくなっていった。それは以前のようには心を震わせなくなった。レース当日に分泌されるアドレナリンの量も、目盛りひとつ分減ったみたいだった。そんなせいもあったのだろう、僕は興味の中心をフル・マラソンからトライアスロンへの挑戦へと移し、またジムに通って熱心にスカッシュをするようになった。その結果、生活スタイルも少しずつ変化していった。走ることだけが人生じゃない、と考えるようになった(それは当たり前といえば当たり前のことなのだが)。つまり半ば意識的に「走ること」とのあいだにいくぶん距離を置くようになったわけだ。初期の理不尽な発熱を失ってしまった恋愛に対するように。

そして今、ずいぶん長く続いた「ランナーズ・ブルー」の靄《もや》を、僕はようやく脱しつつあるように感じる。まだ完全に脱《ぬ》けきってはいないけれど、そこには何かのあらたな始まりの気配がある。朝のジョギングのためにランニング・シューズを履くときに、その微かな胎動を感じとることができる。僕のまわりで、そして僕の内側で、空気がたしかに動き始めている。その小さな萌芽を注意深く育てたいと思う。物音を聞き逃さないように、光景を見逃さないように、方向を見失わないように、僕は自らの身体に向かって神経を集中する。

そして久方ぶりにとても素直な気持ちで、僕は今、次のフル・マラソンのために日々走る距離を積み上げている。新しいノートを広げて、新しいインク瓶を開けて、そこに新しい字を書こうとしている。どうしてそういう闊達な気持ちを再び抱けるようになったのか、今はまだ順序立てて説明することはできない。ケンブリッジの街とチャールズ河畔に戻ってきたことで、昔感じていた心持ちがよみがえったのかもしれない。無心にランニングを楽しんでいた日々の記憶が、懐かしい情景とともに戻ってきたのかもしれない。いや、あるいはそれはただ単に時間的なものだったのかもしれない。僕の中である種の避けがたい調整が進行していて、そのために必要とされる期間がようやく終了した、というだけのことかもしれない。

前にも書いたが、職業的にものを書く人間の多くがおそらくそうであるように、僕は書きながらものを考える。考えたことを文章にするのではなく、文章を作りながらものを考える。書くという作業を通して思考を形成していく。書き直すことによって、思索を深めていく。しかしどれだけ文章を連ねても結論が出ない、どれだけ書き直しても目的地に到達できない、ということはもちろんある。たとえば——今がそうだ。そういうときにはただ仮説をいくつか提出するしかない。あるいは疑問そのものを次々にパラフレーズしていくしかない。あるいはその疑問の持つ構造を、何かほかのものに構造的に類比してしまうか。

正直なところ、僕にはよくわからないのだ。どのような理由と経緯をもって「ランナーズ・ブルー」が僕の身にもたらされることになったのか。そしてどのような理由と経緯をもって今それが薄れ、消えていこうとしているのか。その説明はまだうまくできそそうにない。あるいは結局のところ、こう言い切ってしまうしかないのかもしれない。それがたぶん人生なんだ、と。僕らはたぶんそれをただそのまますっくり、わけも経緯もなく受け入れてしまうしかないのだ、と。税金や、潮の干満や、ジョン・レノンの死や、ワールドカップの誤審と同じように。

しかしいずれにせよ、歳月が一巡りした、サイクルがひとつ完結したという実感が僕の中にある。走るという行為が、日常の喜ばしい、そして欠くべからざる一部として戻ってきたのだ。これでもう四カ月以上、日々着実に僕は走り続けている。それはただの機械的反復ではない。所定の儀式でもない。路上に出て走ることを、身体が自然に求めているのだ。渇いた身体が水気のある新鮮な果物を求めるのと同じように。11月6日のニューヨーク・シティーでどこまで気持ちよく、納得した走りができるものか、結果を見てみたいと思う。

タイムは問題ではない。今となっては、どれだけ努力したところで、おそらく昔と同じような走り方はできないだろう。その事実を進んで受け入れようと思う。あまり愉快なこととは言いがたいが、それが年を取るということなのだ。僕に役目があるのと同じくらい、時間にも役目がある。そして時間は僕なんかよりはずっと忠実に、ずっと的確に、その職務をこなしている。なにしろ時間は、時間というものが発生したときから(いったいいつなのだろう?)、いっときも休むことなく前に進み続けてきたのだから。そして若死をまぬがれた人間には、その特典として確実に老いていくというありがたい権利が与えられる。肉体の減衰という栄誉が待っている。その事実を受容し、それに慣れなくてはならない。

大事なのは時間と競争をすることではない。どれくらいの充足感を持って42キロを走り終えられるか、どれくらい自分自身を楽しむことができるか、おそらくそれが、これから先より大きな意味をもってくることになるだろう。数字に表われないものを僕は愉しみ、評価していくことになるだろう。そしてこれまでとは少し違った成り立ちの誇りを模索していくことになるだろう。

僕は記録に挑戦する無心な若者でもなく、無機的な一個の機械でもない。限界を知りつつ、なんとか少しでも長く自分の能力と活力を保ち続けようとする一人の職業的小説家に過ぎないのだ。

ニューヨーク・シティー・マラソンまで、余すところあと一カ月。

第７章　2005年10月30日
マサチューセッツ州ケンブリッジ

ニューヨークの秋

あたかもボストン・レッドソックスのあまりにもあっけない地区予選敗退（シカゴ・ホワイトソックスを相手にした「ソックス対決」にただの一勝もできなかった）を悼むかのように、その直後から十日間以上にわたって、ニューイングランド地方に冷たい雨が降りしきった。秋の初めの長雨だ。強くなったり、弱くなったり、あるいはときどき思い出したように降り止んだりもしたが、ただのいっときもからりと晴れあがることはなかった。空は終始、この地方独特のぶ厚い灰色の雲にぴたりと覆われていた。態度をいつまでも決めかねる人のように、雨はぐずぐずと降り続き、最後にはとうとう意を決して豪雨になった。ニューハンプシャーからマサチューセッツにかけて、多くの町が水害にあった。幹線道路もほうぼうで寸断された（そこまでレッドソックスに道義的責任を押しつけるつもりはないが）。僕はたまたまメイン州の大学を訪れる仕事があって、そのときニューイングランド北部を移動していたのだが、とにかく最初から最後までうす暗い雨の中をドライブしていたという記憶しか残っていない。真冬でない限り、このあたりを旅行するのはいつも楽しい体験なのだが、今回は残念ながらあまりぱっとしなかった。夏には遅すぎるし、紅葉の季節には早すぎた。ひどい土砂降りで、おまけにレンタカーのワイパーにいささか問題があった。くたびれきった身体で夜中にケンブリッジに戻ってきた。

10月9日の日曜日、朝早くレースを走ったが、この日もやはり雨だった。春のボストン・マラソンを主催するＢＡＡ（Boston Athletic Association）がこの季節に毎年おこなうハーフ・マラソンだ。フェンウェイ球場の近くにあるロベルト・クレメンテ競技場をスタートし、ジャマイカ・ポンドを越えて、フランクリン動物園の中を折り返し、同じ場所に戻ってゴールインする。今年の参加人員は四千五百人。

ニューヨーク・シティー・マラソンのための調整を目的として、このレースに参加した。だからおおよそ八分くらいの力で走り、最後の3キロだけをそれなりに気合いを入れる。しかし本気を出さないように「適度に」レースを走るのは簡単なことではない。まわりをほかのランナーたちに囲まれていると、そうするまいと思っていてもつい力が入ってしまう。みんなと一緒に「よーいどん」でレースを走るのは楽しいものだし、闘争本能も知らず知らず頭をもたげてくる。しかしそこをぐっとこらえてクールに走る。本当の力は飛行機に乗せてニューヨークまで持っていかなくてはならないのだから。

結果は1時間55分。まずまず想定通りのタイムだ。最後の数キロで少しアクセルを踏み込んで、百人余りを抜き、余力を残してゴールインした。霧のような小雨が初めから終わりまで降り続く肌寒い日曜日だったが、胸にナンバーをつけ、まわりのランナーたちの息づかいを聴きながら道路を走っていると、「ああ、またこうしてレースの季節が巡ってきたんだ」と実感する。アドレナリンが身体の隅々に行きわたっていく。いつも一人きりで黙々と走っているので、そういう環境を体験しておくのは良い刺激になる。レース本番で、どれくらいのペースを維持して前半部を走ればいいのか、おおよその感触をつかむこともできる。後半に入ってからがどうなるかは、言うまでもないことだが、そのときになってみないとわからない。

しかし普段の練習でハーフくらいの距離は定期的に走っているし、それ以上の距離も何度か経験しているから、レースはどちらかというとあっけなく終わってしまう。あれ、こんなものだっけ？　もちろんハーフ・マラソンを適度の速さで走ったくらいでいちいちバテていたら、フル・マラソンはそれこそ地獄みたいなものになってしまうわけだが。まわりを走っているランナーはほとんどみんな白人。とくに女性が多い。なぜかマイノリティーのランナーはあまり見かけない。

雨が長く断続的に降り続き、そのあいだに仕事の上での小旅行もあって、しばらくのあいだ思うようには走れなかった。しかしニューヨークでのレースも間近になっているわけだから、走れないこと自体はそれほど問題にはならない。逆に休養がしっかりとれるという利点はある。疲れをとるために休んでいた方がいいとわかっていても、レースが近いとそれなりに気持ちが盛り上がっているから、ついつい走り込んでしまう。でも雨が降っていれば、「まあ、しょうがないや」とあっさりあきらめてしまえる。これは良き側面だ。

問題は、そのようにろくに走ってもいないのにもかかわらず、膝が痛みを訴えてきたことだった。人生におけるトラブルの大半がそうであるように、その痛みは何の前触れもなく唐突に訪れた。10月17日、朝アパートの階段を下りようとして、右膝が突然がくっときた。ある角度に曲げると、膝の皿が独特の痛みを訴える。ただ痛いというのとは少し違う。あるポイントで違和感のようなものがあり、ふっと力が入らなくなるのだ。「膝が笑う」というやつだ。手すりをつかまないと階段が下りられない。

たぶんハードな練習を積んだ期間の疲れが、気温が急激に下がったおかげで、表面に顔を出してきたのだろう。10月に入っても夏の暑さがまだしつこく居残っていたのだが、一週間ばかり降り続いた雨が、ニューイングランド一帯に急速に本格的な秋をもたらした。ついこのあいだまで冷房をつけていたというのに、今ではもう冷たい風が街を吹き抜け、見わたす限りをすっかり晩秋の風景に変えてしまった。セーターをあわてて引っ張り出してくる。リスたちも心なしか顔つきを変えて、餌集めに奔走している。そういう季節のくっきりとした変わり目になると、どうしても身体に変調があらわれる。若いときにはそんなこともなかったのだけど。とくに湿り気を伴った寒さがやってきたときが問題だ。

ハードな日々の練習を友とする長距離ランナーにとっては、膝は常に泣きどころである。走っていれば、着地するたびに体重の三倍の衝撃が足にかかってくると言われている。それが一日におそらくは一万回近く繰り返されるのだ。硬いコンクリートの路面と、理不尽ともいえる加重とのあいだで（そのあいだにシューズのクッションがはさまれているとはいえ）、膝はじっと黙して耐えている。そう考えてみると——普段はほとんどそんなこと考えもしないのだが——問題が出てこない方がどうかしているという気がする。膝だってたまには文句を言いたくなるだろう。「鼻息荒く走るのはいいですが、少しくらいは私のことも気遣ってくださいよ。いったん駄目になったら代わりはないんですからね」と。

このまえ膝について真剣に考えたのはいったいいつのことだったろう？　そう思うと、膝に対していささか申しわけない気持ちになる。たしかにそのとおりだ。鼻息にはいくらでも代わりはあるが、膝には代わりはない。今あるもので死ぬまでやっていくしかない。だから大事にしなくてはならない。

前にも述べたけれど、ありがたいことに、これまで僕はランナーとして大きな故障を経験したことはない。肉体的な不調でレースに出られなかったこともない。レースを途中棄権したこともない。以前にも何度か右膝（きまって右側なのだ）に違和感を感じたことはあったが、そのたびになんとかなだめて、押さえ込んできた。今度だっておそらく大丈夫なはずだ。そう考えようとする。しかしベッドに入ってもなかなか不安は去らなかった。今更レースに出場できないなんてことになったらどうしよう？　練習の組み立て方に間違いがあったのだろうか？　ストレッチングが足りなかったのだろうか？（足りなかったかもしれない）このあいだのハーフ・マラソンの最後で力を入れて走りすぎたのだろうか？　そんなことをあれこれ考え出すと、うまく寝つけなくなる。外では風が冷たく厳しい音を立てている。

翌日目を覚まし、顔を洗ってコーヒーを飲んでから、試しにアパートの階段を下りてみた。手すりに手を置き、右膝に意識を集中してこわごわと階段を下りる。膝の内側にまだ違和感がいくぶん残っているのがわかる。痛みを示唆する感覚がそこにはある。でも昨日のはっとするような鋭い痛みはない。もう一度上り下りしてみる。今度は普通に近い速度で、階段を四階ぶん降りて、それから上がってくる。いろんな歩き方を試し、いろんな角度に膝を曲げてみる。関節の不吉な軋みも聞きとれない。少しだけほっとする。

ランニングとは関係のないことだが、僕のケンブリッジにおける日々の生活はなかなかすんなりと落ち着かない。住んでいるアパートメントは目下大改装中で、昼間はずっとドリルとグラインダーの音が鳴り響いている。四階の窓の外を工事の人々が行き来する。工事は朝の七時半（まだ薄暗い）に始まり、三時半まで続く。上階のベランダの防水工事に不手際があり、部屋の中がずいぶん雨漏りした。寝ているベッドの上にまで水が落ちてきた。うちにある容器を総動員して天井から漏る雨を受けるだけでは足りず、部屋中に新聞紙を敷き詰めなくてはならなかった。おまけにボイラーが突然故障して、給湯と暖房が全面的にストップしてしまった。それだけではない。廊下の火災報知センサーにトラブルがあるらしく、ひっきりなしにアラームがわんわん鳴り響いている。とにかく毎日がどたばたとにぎやかである。

僕の住んでいるアパートメントは、ハーヴァード・スクエアの近くにあって、大学のオフィスにも歩いていけるし、利便性については言うことがないのだが、大規模改装工事の時期にたまたまぶつかってしまったのは不運だった。しかし文句ばかり言っているわけにはいかない。やらなくてはならない仕事もたまっているし、マラソンも近づいている。

少なくとも、膝のトラブルは沈静化しているようだ。これはなんといってもグッド・ニューズだ。できるだけ良い側面に目を向けるようにしよう。

もう一つのグッド・ニューズ。

10月6日のマサチューセッツ工科大学のリーディングは成功だった。というか、成功しすぎたというべきかもしれない。四百五十人収容の大教室を大学は用意してくれたのだが、千七百人くらいの人が押し寄せて、ほとんどの人を帰さなくてはならなかった。大学警察（キャンパス・ポリス）が出動して整理に当たらなくてはならなかった。その混乱のおかげで、開始時刻が遅れ、そのうえ冷房装置が故障していた。真夏を思わせるような暑い日だったので、部屋を埋めた人々はみんなだらだら汗をかいていた。

「わざわざ僕のリーディングを聴きに来てくれてありがとう。こんなにたくさん来てくれるとわかっていたら、フェンウェイ・パーク（球場）を使ったんだけど」という出だしで話を始めた。暑さとトラブルとでみんないらだっていたので、笑ってもらう必要があった。上着を脱いで、Tシャツ姿になって話をした。聴衆（ほとんどは学生だ）の反応はとても良くて、僕も彼らも最初から最後まで気持ちよく、にこやかに話を進めることができた。これほど多くの若い人々が僕の小説に関心をもってくれるというのは、本当に嬉しいことだった。

もうひとつ、スコット・フィッツジェラルドの『グレート・ギャツビー』の翻訳も順調に進んでいる。第一稿は既に仕上がり、それに細かく手を加えて第二稿を作っているところだ。一行一行丁寧に見直して、手を加えていくと、訳文がだんだん滑らかになり、フィッツジェラルドの文章の本来の持ち味が、より自然に日本語に置き換えられていくのがわかる。今更あらためて僕がこんなことを言うのも気が引けるのだが、これは本当に見事な小説だ。何度読み直しても、読み飽きることがない。文学としての深い滋養にあふれている。読むたびに何かしらの新しい発見があり、新たに強く感じ入るところがある。弱冠二十九歳の作家に、どうしてここまで鋭く、公正に、そして心温かく世界の実相を読みとることができたのだろう？　どうしてそんなことが可能だったのだろう。考えれば考えるほど、読み込めば読み込むほど、それが不思議でならない。

10月20日、雨やら足の違和感やらで四日ばかりランニングを休んだあと、久しぶりに走る。午後、気温が少しあがってから、温かい格好をして外を四十分ばかりゆっくり走ってみる。ありがたいことに膝に異常は感じられない。最初はそろそろと軽く走り出し、様子を見ながら徐々にスピードを上げていく。大丈夫。足も膝もかかとも、今のところ問題なく動いている。ほっと胸をなで下ろす。とにかくレースに出場し完走するというのが、何にも増して肝要なことなのだから。ゴールインすること、歩かないこと、それからレースを楽しむこと。この三つが、順番どおりに僕の目標になる。

晴れあがった日が三日続いて、そのおかげで屋根の防水工事もようやく完了した。工事監督をしているデヴィッド（スイスから来たという長身の青年）は「三日好天が続けば、なんとか防水工事は完了するんだけど……」と空を仰ぎながら暗い顔をしていたのだが、やっと晴れが三日続いた。これでもう雨漏りの心配はなくなる。給湯ボイラーも修理が完了し、無事に温かい湯も出てくるようになった。温かいシャワーもやっと浴びられる。地下室がボイラー工事のためにふさがれていた状況も解消し、洗濯機と乾燥機も使えるようになった。明日から屋内暖房も入るということである。さんざんな日々だったが、ものごとはおおむね——膝の具合も含めて——快方に向かっているらしい。

10月27日。今日やっと、何の違和感も感じることなく、八分くらいの力を出して走ることができた。昨日はまだ不吉な感触がわずかに残っていたのだが、今朝はまったくいつもどおりに走り通すことができた。五十分ばかり走り、最後の十分は思い切ってペースを上げてみた。レース本番、セントラル・パークに入って、もうゴールが間近だというシチュエーションを頭の中に設定し、それに即したスピードを出す。問題は何もない。両足は強く路面を蹴り、膝はまっすぐに伸びる。危機は通り過ぎたのだ、たぶん。

あたりはずいぶん寒くなった。街にはハロウィーンのかぼちゃが満ちあふれ、川沿いの朝の道路には、色とりどりの湿った枯れ葉がしきつめられている。早朝のランニングに手袋は既に必需品になった。

10月29日、レースの一週間前。朝からちらほらと小雪が舞って、昼過ぎから本格的な雪になる。ついこのあいだまで夏のようだったのにな、と感心してしまう。これがニューイングランドの気候だ。僕は大学のオフィスの窓から、湿った雪片が降りしきる光景を眺めている。身体の調子は悪くない。練習の疲れがたまっているときは、足が重くよろよろとしか走り始められなかったのだが、最近は軽い感じでスタートできるようになった。足の疲れがうまく抜けてきたらしいことがわかる。走っていても「もっと走りたいな」という気持ちになってくる。

しかしそれにもかかわらず、やはり不安は去らない。僕の目の前を一瞬よぎった暗い影は、本当にどこかに消えてしまったのだろうか？　それは今でもこの身体の中のどこかに潜伏し、出番をじっとねらっているのではあるまいか？　屋敷の人目につかない場所に身を隠し、息をひそめて家人が寝静まるのを待ち受けている巧妙な盗人のように。僕は自分の身体の内部を、目をこらしてのぞきこんでみる。そこにあるかもしれないものの姿を見定めようとする。しかし僕らの意識が迷路であるように、僕らの身体もまたひとつの迷路なのだ。いたるところに暗闇があり、いたるところに死角がある。いたるところに無言の示唆があり、いたるところに二義性が待ち受けている。

僕が手にしているのは経験と本能だけだ。経験が僕に教えるのは、「もうやるだけのことはやったんだ。今更何を考えても仕方ない。あとは当日が来るのを待つしかないよ」ということだ。本能が僕に告げるのはただ一言、「想像しろ」ということだ。僕は目を閉じて思い浮かべる。ブルックリンから、ハーレムから、ミッドタウンへと、数万のランナーとともにニューヨークの街を駆け抜けていく自分の姿を。いくつもの巨大な鋼鉄の吊り橋を、自分が越えていくところを。賑やかなセントラル・パーク・サウスに沿って走りながら、ゴールに向かって近づいていくときの気持ちを。レースを走り終えたあとで食べにいく、ホテル近くの古風なステーキハウスのことを。そんな光景は、身体に静かな活力をもたらしてくれる。僕はもうそれ以上暗闇の色に目をこらすのをやめる。沈黙の響きに耳を澄ませるのをやめる。

ランダムハウスで僕の本の担当をしてくれているリズからEメールが来る。彼女もニューヨーク・シティー・マラソンを走るということだ。彼女にとっては初めてのフル・マラソンである。「楽しんで走ってください（Have a good time!）」とメールを返す。そう、マラソン・レースは楽しんでこそ意味があるのだ。楽しくなければ、どうして何万もの人が42キロ・レースを走ったりするだろう。

セントラル・パーク・サウスのホテルの予約を再確認し、ボストン＝ニューヨークの飛行機のチケットをとる。着慣れたランニング・ウェアと、適度に履きこなしたシューズをジムバッグに詰める。あとは身体を休めながら、レースの当日がやってくるのを静かに待つだけだ。それが好天に恵まれた、とびっきり美しい秋の一日であることを祈るのみだ。

ニューヨーク・シティー・マラソンを走るべくその街を訪れるたびに（たしか今回で四度目になるはずだ）、僕はヴァーノン・デュークの作曲した洒脱な美しいバラード『ニューヨークの秋』を思い出す。

あてなく夢見る人々はただ
その蠱惑《こわく》の光景にため息をつくだろう
それがニューヨークの秋
私はまたここに戻ってきた

Dreamers with empty hands
May sigh for exotic lands
It's autumn in New York
It's good to live again

11月のニューヨークは実に魅力的な街だ。空気は意を決したかのようにきりっと澄みわたり、セントラル・パークの樹木は黄金色に染まり始めている。空はあくまで高く、高層ビルのガラスが太陽の光を豪勢に反射させている。ブロックからブロックへと、限りなくどこまでも歩いていけそうな気がする。バーグドーフ・グッドマンのウィンドウには上品なカシミアのコートが飾られ、街角にはプレッツェルを焼く香ばしい匂いが漂っている。

レースの当日、僕はニューヨークの秋を、その「蠱惑の光景」を、自分の脚で駆け抜けながら心ゆくまで味わうことができるのだろうか？　それともそんな余裕なんてどこにも見あたらない、ということになるのだろうか？　もちろん走ってみなくてはわからない。それがマラソン・レースなのだ。

第８章 2006年８月26日
神奈川県の海岸にある町で

死ぬまで18歳

今はトライアスロン・レースのためのトレーニングに励んでいる。ここのところしばらく集中して自転車の練習をしていた。大磯の海岸にある「太平洋岸自転車道」という名前のコース（名前の立派なわりには細切れに分断されていて、それほど走りやすいとは言えない）で毎日一時間から二時間、横風の強い海沿いの道を、せっせと自転車を漕いでいる。おかげで今では、太腿から腰にかけての筋肉ががちがちに張った状態になっている。

レース用の自転車ではペダルを踏み込むのと同時に、引き上げる。踏み込み、引き上げることによってスピードをあげていく。そういう脚の回転をできるだけ円滑に維持する。とくに長い上り坂を乗りきるにはこの「引き上げ」の部分がポイントになる。ところがその「引き上げ」に必要な筋肉は、日常生活の領域ではほとんど用いることのないものだから、自転車練習を本格的にやっていると、必然的にその部分の筋肉がくたびれて、こってりと張ってくる。朝のうちに自転車の練習をし、夕方になって走る。そうやって、筋肉がぱんぱんに張った脚でもなんとか走れる練習をしておく。もちろん楽しくてしょうがないという類の練習ではない。でも文句は言えない。それが本番のレースでそのまま起こることなのだから。

僕が本格的に自転車の練習をするのは、トライアスロンのレースの前の数カ月に限られている。ランニングと水泳はもともと嫌いではないから、レースがなくても生活の中に自然にとり込んでいけるわけだが、自転車練習だけはなかなかそれができない。僕が自転車に関して気が重くなる理由のひとつは、それが「道具もの」だからだ。ヘルメットやらバイク用のシューズやら、付属物もあれこれ必要になる。器具・部品の手入れも欠かせない。ところが僕はこの「道具の手入れ」というのが、生来苦手なのだ。それから自由にスピードの出せる比較的安全なコースを確保し、そこまで出向かなくてはならない。だからついおっくうになってしまう。

それに加えて恐怖心がある。まともに走れるコースのあるところまで、自転車に乗って市街地の道路を抜けていくわけだが、ペダルにシューズを固定したまま、細いタイヤのセンシティブなスポーツ・バイクで（ちょっとした段差に大きな影響を受ける）車のあいだを通り抜けていくときの怖さは、実際に経験した人でなくてはわからないだろう。経験を重ねていればある程度は状況に慣れてくる。コツも身につけてくる。でもはっとするような目に何度かあったし、冷や汗もかいた。

練習中でも、きついカーブにスピードをなるべく落とさずに突っ込んでいくときには、胸がどきどきする。きれいにラインをとり、うまく身体を傾けながらカーブを乗りきらないと、転倒するか、塀にぶつかるかしてしまう。すれすれの限界値を自分で経験的にみつけていかなくてはならない。下り坂でスピードが出ていて、雨が降って路面が濡れていたりしたら、これはなかなかの恐怖だ。混み合ったレースでは、一歩間違えば集団転倒になってしまう。

僕はもともと身軽な人間でもないし、スピード競技を愛好する人間でもないので、自転車競技のこういう面は苦手だ。だからスイム・バイク・ランというトライアスロンの三つの部門の中では、どうしても自転車の練習があとまわしになる。自転車部門は当然のことながら苦手科目となる。バイクのあとのランでそのロスを挽回しようとがんばっても、10キロのランだけでは挽回しきれない。だから今は一念発起して自転車の練習に励んでいるわけだ。今日は8月1日。レースは10月1日だからあとちょうど二カ月。今から練習して、レースの日までにうまく専用の筋肉がついてくれるかどうかは疑問だが、とにかく身体を自転車に慣らしておく必要がある。

僕の乗っている自転車はパナソニックのチタン製のスポーツ・バイク。羽のように軽い。もうこれで七年くらい同じものを使っている。ギアチェンジの操作も身体機能の一部みたいになっている。優れた機械だ。少なくとも乗り手よりは機械の方が優秀だろう。ずいぶんタフに乗っているのだが、トラブルらしいトラブルは一度も経験していない。この自転車でこれまでに四度のトライアスロン・レースを体験している。車体には「18 'til i die」と書いてある。ブライアン・アダムズのヒット・ソング『死ぬまで18歳』のタイトルを借用した。もちろんジョークだ。死ぬまで十八歳でいるためには十八歳で死ぬしかない。

日本の今年の夏は異常気象だった。7月の初めには終わっているはずの梅雨が、7月の末近くまで続いた。とにかくいやになるほど雨が降り続いた。各地で集中豪雨があり、多くの人々が亡くなった。すべては地球温暖化＝グローバル・ウォーミングのせいにされている。実際にそうかもしれないし、実際はそうじゃないのかもしれない。そうだと言う学者もいるし、そうじゃないと言う学者もいる。証明できる部分もあれば、できない部分もある。しかし、世界が今日直面するおおかたのトラブルは、多かれ少なかれグローバル・ウォーミングのせいにされる。アパレル産業の売り上げが落ちても、浜辺に大量の流木が打ち上げられても、洪水が起きても、渇水が起きても、消費者物価が上がっても、責任の多くの部分はグローバル・ウォーミングが引き受けることになる。世界が必要としているのは、名指しで「お前のせいだ！」と指をつきつけることのできる特定の悪者なのだ。

いずれにせよ、どこかの始末に負えない悪漢のせいで、雨がいつまでもぐずぐずと降り続き、おかげで7月中は自転車の練習がほとんどできなかった。僕に責任はない。悪漢がいけないのだ。でもやっとこの数日晴天が続き、自転車を外に持ち出すことができるようになった。流線型のヘルメットをかぶり、スポーツ・サングラスをかけ、ボトルに水を入れ、スピードメーターをセットし、ひたすら走る。

競技用自転車に乗るに際してまず心がけなくてはならないのは、風圧を避けるために身体をできるだけ前傾し、しかも顔を前向きに上げておくことだ。なんとしてもこの姿勢を身につけなくてはならない。しかし実際に試していただければわかることだが、この首をもたげたカマキリのような姿勢を一時間以上にわたって保ち続けるのは、慣れていない人間にとっては至難の業《わざ》だ。そのうちに背中と首筋が悲鳴を上げ出す。くたびれてくると、どうしても頭が下がり、顔がついうつむいてしまう。そうなると待ちかねたように危険が襲ってくる。

最初のトライアスロン・レースのために100キロ近い長距離ツーリングをしていたとき、金属の杭《くい》に正面から思いきり激突した。河川沿いの歩行者・自転車専用道路に自動車やモーターバイクが進入するのを防ぐために立ててある杭だ。疲れ果て、頭がぼんやりしてきて、顔を前に向けておくことがほんの少しおろそかになってしまったのだ。自転車の前輪はぐにゃっと派手に曲がって、頭から道路に放り出された。気がついたときには僕の体は文字通り宙を飛んでいた。ヘルメットが頭を保護してくれたからよかったけれど、そうでなければ大怪我をするところだった。コンクリートの路面で腕を擦りむいてずいぶん痛かったけれど、まあそれくらいですんでよかった（もっとひどい目にあった人がまわりには何人もいる）。

そういうおっかない目に一度でもあえば、人はそこから身にしみて何かを学ぶことになる。ものごとの基本を着実に身につけるには、多くの場合フィジカルな痛みが必要とされる。それ以来どんなに疲れていても、顔だけはいつも上にあげている。前方の路上にあるものを何ひとつ見逃さないようにしている。しかしそれはもちろん、気の毒な僕の筋肉を酷使することになる。

汗はかかない。いや、汗はかいているのだろうが、受ける風が強いから、かくそばからどんどん干上がっていく。そのかわり喉が渇く。ほうっておくとすぐに脱水症状になる。脱水症状になると、頭が朦朧《もうろう》としてくる。水のボトルなしに自転車は漕げない。走りながら自転車にとりつけたボトルを取り、素早くくいくいと飲み、それをラックに戻す。一連の作業を自動的に、目を前に向けたまま円滑にこなせるように訓練しておく。

一人で自転車の練習をするのは、正直なところつらい。いちばん最初のときは、右も左もわからないので、自転車競技に詳しい人に頼み込んで、個人コーチのようなことをしてもらった。彼と一緒にステーション・ワゴンに自転車を積み込み、休日の大井埠頭に行った。休日の大井埠頭は配送トラックが来ないので、倉庫街をめぐる幅広い道路は絶好のサイクリング・コースになる。そこに多くの自転車乗りが集結する。タイムを設

〔上〕　レース前は集中的に自転車の練習をする。バイク・ヘルメットを被って。
〔下〕　1997年9月28日村上国際トライアスロン大会。スイムからバイクへのトランジションで「死ぬまで18歳」号を確保。

定し、回転数を決め、それに合わせて走った。長距離のツーリング（事故を起こしたやつだ）にも一緒に出かけた。フル・マラソンに備えておこなう、長時間にわたるロングランも孤独だが、一人で黙々とハンドルバーにしがみついて、ペダルを漕ぎ続けるのは、それに輪をかけて孤独な作業だ。えんえんと同じことの繰り返しなのだ。上り坂があり、平地があり、下り坂があり、順風があり、逆風がある。それにつれてギアを換え、ポジションを換え、回転数をチェックし、負荷をかけ、負荷を落とし、回転数をチェックし、水を飲み、ギアを換え、ポジションを換え……。ときどきそれは手の込んだ拷問のようにも思えてくる。トライアスリートのデイブ・スコットはその著書の中で、最初に自転車練習をしたときのことを語っている。「これは人類が発明したスポーツの中で、いちばん不快なしろものだと私は思った」と。僕も実にそう思った。

しかしとにかくトライアスロンの前の数カ月は、理屈も何もなく、これをこなさなくてはならない。ブライアン・アダムズの『死ぬまで18歳』のリフをやけっぱちで口ずさみながら、ときには世界を呪詛《じゆそ》しながら、僕はペダルを踏み込み、引き上げる。その回転のリズムを自分の両脚に覚え込ませる。太平洋を遠慮なく吹きわたってくる熱い風が、頬をぴりぴりとかすっていく。

ハーヴァード大学の滞在任期は6月の末で終わり、それとともにケンブリッジでの暮らしも終わりを告げ（サム・アダムズの生ビールとダンキン・ドーナッツ！）、荷物をまとめて7月の初めに日本に帰ってきた。ケンブリッジに住んでいるあいだ、主としてどんなことをしていたのか？　告白しよう。僕は大量のLPレコードを買った。ボストン近辺には質の良い中古レコード屋がまだまだたくさんある。そして機会があればニューヨークやメイン州のレコード店にまで足をのばした。買ったのは七割くらいジャズで、あとはだいたいクラシック音楽、それから多少のロック。僕は古い時代のLPレコードを収集することにかけてはかなり（いや、ずいぶん）熱心な人間なのだ。それだけのレコードを日本まで輸送するのは大変な作業だった。

現在わが家にどれほどの数のLPレコードが存在しているのか、僕にもよくわからない。数えたこともないし、あえてそんな恐ろしいことをしようという気も起きないからだ。僕は十五歳のときからこれまでに、ずいぶんたくさんの数のレコードを買い込み、ずいぶんたくさんの数のレコードを処分してきた。出入りが激しすぎて、数の実勢はとても把握できない。それらはやってきて、去っていく。しかし総数は疑いの余地なく増

1997年８月某日、東京・江戸川サイクリングロードで、コーチの後について自転車特訓中。

え続けている。だいいちどれだけの数のレコードを僕が所有しているかなんて、たいした問題ではない。数は大事な要素ではない。何枚くらいレコードがあるかと訊かれれば、「ずいぶんたくさんあるみたいだ。しかしまだ十分ではない」としか答えようがない。

スコット・フィッツジェラルドの『グレート・ギャツビー』に登場するトム・ブキャナン——ポロ選手として有名な大金持ち——は言う。「世の中に厩《うまや》を改造してガレージにするものは多いが、ガレージを改造して厩にしているのは僕くらいのものだろうな」と。自慢ではないが、僕もそれと同じようなことをしている。つまりコンパクト・ディスクで持っている演奏でも、質の良いLPが見つかったら、迷うことなくCDを売り払ってLPを残す。同じLPでもより音質がよく、オリジナルに近いかたちのものが見つかれば、迷わずそちらに買い替えていく。手間のかかる作業だし、費用もばかにならない。世間の人々の多くは、そういうことをする人間をマニアと呼ぶかもしれない。

去年（2005年）の11月に予定通りニューヨーク・シティー・マラソンを走った。よく晴れた気持ちの良い秋の日だった。既に世を去ったメル・トーメがどこからともなく現われ、グランド・ピアノにもたれかかり、『ニューヨークの秋』のヴァースを歌い出しそうな、そんな素晴らしい一日だった。僕は世界中からやってきた数万人のランナーとともに、午前中にスターテン・アイランドのベラザーノ・ブリッジをスタートし、ブルックリンを抜け（いつもここで作家のメアリ・モリスが待ち受けていて、応援してくれる）、クイーンズを抜け、いくつもの橋を渡り、ハーレムを抜け、数時間後に42キロ先にあるセントラル・パークの「タヴァーン・オン・ザ・グリーン」近くのゴールに到着した。

結果はどうだったか？　率直に言って、結果はあまり好ましいものではなかった。少なくとも、僕が心中ひそかに期待していたほどには好ましいものではなかった。僕としてもできることなら「しっかり練習を積んだおかげで、ニューヨーク・シティー・マラソンでは素晴らしいタイムを出すことができた。ゴールインはまことに感動的だった」というような力強い結びの言葉を本の最後に置き、勇壮な『ロッキーのテーマ』とともに、華麗な夕日の中にクールに歩き去ってしまいたかった。正直なところ、実際にレースを走ってみるまでは、そういう展開になるのではないか、そういう展開になってくれればいいのに、という期待が僕の中にあった。それが僕のプランAだった。なかなか素敵なプランだ。

しかし現実の人生にあっては、ものごとはそう都合よくは運ばない。我々が人生のあるポイントで、必要に迫られて明快な結論のようなものを求めるとき、我々の家のドアをとんとんとノックするのはおおかたの場合、悪い知らせを手にした配達人である。「いつも」とまでは言わないけれど、経験的に言って、それが薄暗い報告である場合の方が、そうではない場合よりもはるかに多い。配達人は帽子にちょっと手をやり、なんだか申しわけなさそうな顔をしているが、彼が手渡してくれる報告の内容が、それで少しでも改善されることはない。しかしそれは配達人のせいではないのだ。配達人を責めるわけにはいかない。彼の襟首をつかんで揺さぶるわけにはいかない。気の毒な配達人は、ただ上から与えられた仕事を律義にこなしているだけなのだ。彼にその仕事を与えているのは、そう、おなじみのリアリティーである。

そんなわけで我々には、プランBというものが必要になってくる。

レース前には体調は万全のように思えた。休養もじゅうぶんにとった。膝の内側にあった違和感は消えている。脚には、とくにふくらはぎのあたりには、まだいくぶん疲労感が残っていたが、気にするほどのものではない(ように思えた)。練習スケジュールは滞《とどこお》りなくこなした。これほど順調に練習を積み重ね、レースに臨んだことは、これまでにたぶん一度もなかったはずだ。だから近年になく良いタイムが残せるだろうという期待（あるいは適度な確信）があった。あとはただ貯まったチップを現金に換えればいいだけなのだと。

スタートラインでは3時間45分というプラカードを持ったペースメーカーの後ろについた。その程度のタイムならじゅうぶん狙えるだろうと思ったのだ。それが失敗だったのかもしれない。今にして思えば、30キロあたりまでは3時間55分程度のペースメーカーについていって、「今日はもっといけそうだな」と手応えが感じられたところで、自然なかたちでアップグレードしていけばよかったのかもしれない。それくらいの穏健な姿勢が僕には必要だったのだろう。しかしそのときは何かべつのものが、僕の背中を後押ししていた。「暑いさなか、あんなに一生懸命練習したんじゃないか。これくらいのタイムで走れなきゃ意味ないぜ。男だろう、やってみろや」とそれは僕に耳打ちしていた。通学路でピノキオに誘惑の声をかける、こずるい猫とキツネのように。そして3時間45分というのは、ついこのあいだまでの僕にとっては、ビジネス・アズ・ユージュアルの（ごく当たり前の）タイムだったのだ。

25キロあたりまではそのペースメーカーについていけたのだが、それ以上は無理だった。認めるのは悔しいけれど、脚がだんだん動かなくなってきた。あとはペースがずるずると落ちていった。3時間50分のペースメーカーに抜かれ、3時間55分のペースメーカーにも抜かれた。最悪のパターンだ。しかし4時間のペースメーカーにだけは抜かれるわけにはいかない。クイーンズボロ・ブリッジを渡り終えて、アップタウンからセントラル・パークに向かう広い直線道路に入ってからは少し元気も回復してきて、「これでなんとか態勢を持ち直せるかな」というかすかな期待も出てきたのだが、それもつかの間、パークに入って例のだらだらした坂道にさしかかったあたりで、右足のふくらはぎに急に痙攣がやってきた。立ち止まらなくてはならないほどひどくはなかったが、筋肉の痛みのために歩く程度の速度でしか走れなくなった。まわりの観衆は「ゴー！ ゴー！」と応援してくれるし、僕だって走り続けたいのはヤマヤマなのだが、とにかく脚が動かない。

そのような次第で今回もやはりあと少しで4時間を切れなかった。もちろん曲がりなりにも完走はしたから、連続フル・マラソン完走記録は維持できた（二十四度目）。最低のラインはクリアできたことになる。でも「ずいぶん綿密に計画を立てて、しっかり根性を入れて練習したのにな」という割り切れない気持ちは残った。薄暗い雲の切れ端が、胃の中に紛れ込んでしまったみたいに。いくら考えても納得がいかない。あんなに努力したのに、どうして痙攣なんてものに襲われなくちゃならないんだ？　すべての努力は正当に報われるべきだ、というようなことを今更言い立てるつもりはもちろんないけれど、もし天に神というものがいるなら、そのしるしをちらりとくらい見せてくれてもいいではないか。それくらいの親切心はあっていいのではないのか？

　約半年後、２００６年の４月にボストン・マラソンを走った。僕は原則的にフル・マラソンを走るのは年に一度と決めているのだが、ニューヨークでの結果がどうしても腑《ふ》に落ちないので、もう一度走り直してみようと思ったのだ。ただし今回は意図的に、トレーニングの量をぐっと落とした。ニューヨークであれだけ念入りに練習をして、思うような結果が出なかったのだ。ひょっとしたら練習のしすぎだったのかもしれない。だから今回は特別な練習メニューは設定せずに、通常よりも心持ち増量して走り込む程度にとどめ、むずかしいことは考えずに、手なりでやってみようと思った。「ふん、たかがマラソンじゃないか」というくらいのクールな姿勢で。それでどんな結果が出るものか見てみようと腹を決めたのだ。

というわけでボストンを走った。ボストン・マラソンを走るのは七度目である。だからコースはだいたい頭に入っている。坂道の数も、曲がり角の様子も、ひとつひとつ覚えている。走り方もおおむねわかっている――もちろん走り方がわかっているからそれでうまく走れるというものではまったくないのだが。

さて、結果はどうだったか?

タイムはニューヨークのときとほとんど違いはなかった。今回はニューヨークの経験に懲りて、前半はできるだけ抑えた。ペースを守って、力をセーブしながら走った。まわりの風景をのんびり眺めながら、気持ちよくコースを走り、「よし、ここらへんからペースを上げていこうか」という気持ちになれるポイントがやってくるのを待った。しかしそのポイントはとうとうやってこなかった。30キロから35キロにかけての、いわゆる「心臓破りの丘」を越えるあたりまでは快調だった。問題はまったくなかった。「心臓破りの丘」の坂道で僕を待っていて応援してくれた友人・知人たちも、「ハルキは顔つきがとても元気そうだった」とあとで言ってくれた。僕もにこにこ笑いながら手を振り、坂道を駆け上っていった。このぶんでいけば最後にペースアップしてタイムをうまく詰めていけるかもな、とも思った。ところがクリーブランド・サークルを過ぎて街の中心に入ったあたりから、急に脚が重くなった。疲弊が急に押し寄せてきた。痙攣こそこなかったが、ボストン大学ブリッジを越えてからゴールまでの最後の数キロは、まわりに置いていかれないようにするのがせいぜいだった。とてもペースを上げるどころではない。

もちろん完走はできた。薄曇りの空の下、42・195キロを立ち止まることなく走り、ジョン・ハンコック・タワー前に設置されたいつものゴールを無事くぐることはできた。寒さよけの銀色のシートで身体を包まれ、ボランティアの女性にメダルを首にかけてもらった。「ああ、もうこれ以上走らなくていいんだ」という例の安堵がどっと押し寄せてきた。マラソン・レースを完走するのはいつだって素晴らしい体験であり、美しい達成である。でもやはり満足のいくタイムではなかった。レースのあと、サム・アダムズの生を思い切り飲むのがいつもの楽しみなのだが、今回はあまりそういう気持ちにもなれなかった。内臓の内側までへとへとになったような感じだった。

「いったいどうしたのかしらね」と、ゴールで待っていたうちの奥さんが首をひねりながら言った。「身体能力がそんなに衰えているとも見えないし、練習だってよくやっているし」

どうしてなのか、僕にもわからない。あるいはただ単純に、それが年を取っていくということなのかもしれない。あるいはほかに何らかの原因が求められるのかもしれない。うっかり見逃している何か大事なものがあるのかもしれない。いずれにせよ今のところ、「あるいは」というところで話は終わってしまう。ささやかな水路が、砂漠に音もなく吸い込まれていくように。

ただこれだけはかなりの自信をもって断言できる。「よし、今回はうまく走れた」という感触を取り戻せるまで、僕はこれからもめげることなく、せっせとフル・マラソンを走り続けるだろう、ということだ。身体が僕に許す限り、たとえよぼよぼになっても、たとえまわりの人々に「村上さん、そろそろ走るのをやめた方がいいんじゃないですか。もう歳だし」と忠告されても、おそらく僕はかまわずに走り続けることだろう。たとえタイムがもっと落ちていっても、僕はとにかくフル・マラソンを完走するという目標に向かって、これまでと同じような——ときにはこれまで以上の——努力を続けていくに違いない。そう、誰がなんと言おうと、それが僕の生まれつきの性格《ネイチャー》なのだ。サソリが刺すように、蟬が樹木にしがみつくように。鮭が生まれた川に戻ってくるように、カモの夫婦が互いを求めあうように。

それが僕にとっての、そしてこの本にとっての、ひとつの結論になるのかもしれない。『ロッキーのテーマ』はどこからも聞こえてこない。向かっていくべき夕日もどこにも見えない。まるで雨天用運動靴のような地味な結論だ。それをアンチ・クライマックスと人は呼ぶかもしれない。ハリウッドのプロデューサーなら、映画化の企画を持ち込まれても、最後のページをちらっと見ただけで相手にもしないだろう。しかし詰まるところ、このような結論こそが僕という人間に相応《ふさわ》しいものかもしれないな、という気もしないではない。

だって「ランナーになってくれませんか」と誰かに頼まれて、道路を走り始めたわけではないのだ。誰かに「小説家になってください」と頼まれて、小説を書き始めたわけではないのと同じように。ある日突然、僕は好きで小説を書き始めた。そしてある日突然、好きで道路を走り始めた。何によらずただ好きなことを、自分のやりたいようにやって生きてきた。たとえ人に止められても、悪《あ》し様《ざま》に非難されても、自分のやり方を変更することはなかった。そんな人間が、いったい誰に向かって何を要求することができるだろう？

僕は空を見上げる。そこには親切心の片鱗のようなものが見えるだろうか？　いや、見えない。太平洋の上にぽっかりと浮かんだ、無頓着な夏雲が見えるだけだ。それは僕に何も告げてはくれない。雲はいつも無口だ。僕は空を見上げたりするべきではないのだろう。視線を向けなくてはならないのは、おそらく自らの内側なのだ。僕は自分の内側に目を向けてみる。深い井戸の底をのぞきこむみたいに。そこには親切心が見えるだろうか？　いや、見えない。そこに見えるのは、いつもながらの僕の性格《ネイチャー》でしかない。個人的で、頑固で、協調性を欠き、しばしば身勝手で、それでも自らを常に疑い、苦しいことがあってもそこになんとかおかしみを――あるいはおかしみに似たものを――見いだそうとする、僕のネイチャーである。古いボストンバッグのようにそれを提げて、僕は長い道のりを歩んできたのだ。気に入って運んでいたというわけではない。中身のわりに重すぎるし、見かけもぱっとしない。ところどころにほつれも見える。それ以外に運ぶべきものもなかったから仕方なく運んできただけだ。しかしそれなりに愛着のようなものもある。もちろん。

というわけで、今のところ10月1日の新潟県村上市トライアスロンに向けて日々の練習に励んでいる。言い換えれば、古い鞄を運び続けている。おそらくは更なるアンチ・

クライマックスに向けて。寡黙なるバロック的円熟——より謙虚に表現するなら〈進化のどん詰まり〉——に向けて。

第9章　2006年10月1日
新潟県村上市

少なくとも最後まで歩かなかった

たしか十六歳のころだったと思うが、家人がいないときを見計らって、うちの大きな鏡の前で裸になって、自分の身体をしげしげと観察してみたことがある。そして自分の身体の中で普通よりも劣っている（と本人に思えるところ）をひとつひとつリストアップしてみた。たとえば——あくまでたとえばだが——眉毛がいささか濃すぎるだとか、手の爪のかたちがみっともないだとか、そういうことだ。リストは全部で27までいったと記憶している。27まで数えて、そのへんでさすがにいやになって、点検するのをやめてしまった。そしてこう思った。目に見える肉体の各部を取り上げただけで、こんなにいっぱい普通より劣っているところがみつかるのだから、それ以外の領域——たとえば人格や頭脳や運動能力――に足を踏み入れていったら、それこそキリがなくなってしまうに違いない、と。

もちろん十六歳というのはおそらくみなさんもご存じのように、とびっきり面倒な年齢だ。細かいことがいちいち気になるし、自分の立っている位置が客観的につかめないし、なんでもないことで妙に得意になったり、コンプレックスを抱いてしまったりする。年を取るにつれて、様々な試行錯誤を経て、拾うべきものは拾い、捨てるべきものは捨てて、「欠点や欠陥は数え上げればキリがない。でも良いところも少しくらいはあるはずだし、手持ちのものだけでなんとかしのいでいくしかあるまい」という認識（諦観）にいたることになる。

しかし鏡の前で裸になって、自分の肉体的な欠点を列挙したときのいささか情けない感覚の記憶は、僕の中に今でもひとつの定点となって残っている。借り方が圧倒的に多く、貸し方がろくすっぽ見あたらない、僕という人間の気の毒な貸借対照表。

それから四十年ばかりの歳月を経て、黒いスイム・スーツに身を包み、ゴーグルを頭の上にあげ、海岸に立ってトライアスロン・レースのスタートを所在なげに待っているうちに、そのときの記憶がふとよみがえってくる。もう一度、自分という容器《いれもの》がいかにも哀れな、取るに足りないものに思えてくる。不十分でほころびだらけの、みっともないものに思えてくる。今更何をやったところで無駄ではないかという気がする。僕はこれから1・5キロを泳ぎ、40キロを自転車で走破し、10キロを走ろうとしている。そんなことをして何がどうなるというのだ？　底に小さな穴のあいた古鍋に、せっせと水を注いでいるだけのことではないのか？

いずれにせよ、文句のつけようがないくらい見事な天気だ。絶好のトライアスロン日和《びより》。風はなく、海には波ひとつない。太陽は暖かな光線を地上に注ぎ、気温は23度くらい。水温も申しぶんない。僕がこの新潟県村上市のトライアスロン・レースに出るのはこれで四度目だが、だいたいいつもひどいコンディションだった。あるときは海が荒れすぎていて（秋の日本海はすぐにその表情を変える）、水泳のかわりにビーチ・ランをやらされた。そこまでいかなくても、冷たい秋雨がしとしと降ったり、波が大きくてうまくクロールの呼吸ができなかったり、寒さに震えながら自転車を漕いだり、それはもうさんざんな目にあってきた。だから僕は東京から車に乗って350キロあまりを走り、新潟に向かっているあいだ、頭の中で最悪の天候を予想することにしている。どうせろくな目にはあうまいとしっかり覚悟を決めている。それが僕にとってのイメージ・トレーニングみたいなものだ。だからこんなに静まりかえった穏やかな海を目の前にすると、なんだかだまされているような気持ちになる。いやいや、簡単に信用するわけにはいかないぞと思う。これはただの見せかけで、実は予想もできないひどい落とし穴が途中に待ちかまえているのかもしれない。海には毒針をもったたちの悪いクラゲが密集しているかもしれない。腹を減らした冬眠前の熊が自転車に突進してくるかもしれない。走っている頭上に気まぐれな雷が落ちるかもしれない。すずめばちの群れがわけのわからない怒りに駆られて襲いかかってくるかもしれない。ゴールで待っているはずのうちの奥さんが、僕の私生活に関して何かひどく不愉快な事実（いくつかありそうな気がする）を発見しているかもしれない。何が起こるかわかったものではない。こと村上国際トライアスロン大会に関しては、僕はとても疑り深いのだ。

しかし今のところは、どうみても良い天気だ。日向《ひなた》に立っていると、黒いゴム製のスイム・スーツがほかほかと温かくなってくる。

僕のまわりには同じような格好をした人々が、同じようにそわそわしながら、砂浜の上でレースのスタートを待っている。不思議といえば不思議な光景だ。自然の気まぐれによって浅瀬に打ち上げられ、そこに置き去りにされて、潮が満ちてくるのを待っている気の毒な水生動物たちのように見えなくもない。ほかのみんなは僕よりもいくぶんポジティブな思考に耽っているように見える。でも、ただそう見えるだけなのかもしれない。いずれにせよ、余計なことはあまり考えないようにしようと自分に言い聞かせる。ここまで来てしまったんだもの、あとはただひたすらレースを乗りきるしかない。三時間ばかり何も考えずにただ泳ぎ、ただ自転車を漕ぎ、ただ走るだけのことだ。

早くレースが始まらないものか。時計に目をやる。しかしさっき見たときから、時間はほんの少ししか過ぎていない。いったんレースが開始されてしまえば、余計なことを考えている暇は（たぶん）ないのだが……。

トライアスロンのレースに出場するのは、長短取り混ぜこれで六度目になる。でも2000年から2004年まで、四年間トライアスロンから遠ざかっていた。どうしてそんなに空白期間があるかというと、2000年の村上トライアスロンで、レース中に突然泳げなくなってしまったからだ。それで棄権を余儀なくされた。そのショックから立ち直って態勢を立て直すのに時間をくってしまったのだ。どうして泳げなくなったのか、その原因もなかなか判明しなかった。あれこれ考え込んだし、自信も失ってしまった。どんなレースであれ、途中棄権するというのは生まれて初めての体験だったから。

「突然泳げなくなった」と書いたが、正確にいえば、トライアスロンの水泳部門でつまずいたのはこのときが初めてではない。僕はプールでも海でも、わりに楽に長距離をクロールで泳げる。１５００メートルを33分くらいで普通に泳げる。とくに速くはないけれど、レースにはじゅうぶんついていけるペースだ。海の近くで育ったから、海での泳ぎにも慣れている。プールでいつも練習している人が海で泳ぎづらかったり、恐怖を感じたりすることはよくあるが、僕の場合は違う。むしろ海で泳ぐ方が、広々しているし、浮力があるぶん泳ぎやすいくらいなのだ。

ところがいざ実際のレースとなると、なぜかうまく泳げない。ハワイ（オアフ島）のティンマン・レースに出場したときも、クロールで泳ぐことができなかった。海に入って、さあ泳ぎだそうとすると、とたんに呼吸ができなくなってしまった。いつもどおり顔をあげて呼吸をしようとしても、なぜかタイミングがあわない。呼吸が思うようにいかないと、恐怖が身体を支配して、筋肉がこわばってしまう。胸がわけもなくどきどきして、手足が言うことを聞いてくれない。顔が水につけられない。いわゆるパニックである。

ティンマン・レースは水泳部門が普通よりも短くて、800メートルしかないので、クロールをあきらめて、平泳ぎに切り替えて乗り切ることはできた。ところが水泳が1500メートルある通常のレースでは、平泳ぎではまかない切れない。クロールに比べてタイムがかかりすぎるし、長く続けていると足がくたびれる。だから2000年の村上トライアスロンでは泣く泣く途中で棄権せざるを得なかった。

棄権して浜に上がって、でもそのままではあまりに悔しいから、試しにもう一度同じコースを泳いでみた。もちろんほかの選手は既に海から上がり、自転車部門に移って、どこかに行ってしまっている。誰もいない海を一人で泳いだわけだ。するとクロールですっと苦もなく泳げてしまった。呼吸も楽にできるし、身体もスムーズに動く。どうして本番でこれと同じことができないのだろう?

最初にトライアスロンに出たとき、スタートラインが海の中だった。フローティング・スタート、つまり水の中で一列に並んでスタートする。そのときに近くの人に何度か強く脇を蹴られた。競争だからこれは仕方ない。みんな人の前に出ようとするし、最短コースをとろうとする。泳ぎながら肘打ちを食らったり、蹴りを入れられたり、それで水を飲んだり、ゴーグルが外れたり、そんなことは日常茶飯事だ。でも僕の場合、最初のレースの出端《でばな》で強く蹴られたショックで、泳ぎのバランスが狂ってしまったのかもしれない。そしてスタートのたびにその記憶がよみがえるのかもしれない。今ひとつ腑に落ちなかったが、レースはメンタルな要素が大きいから、その可能性はじゅうぶん考えられる。

もうひとつ、僕の泳ぎそのものに何か問題があるのかもしれない。僕のクロールはあくまで自己流で、専門家のコーチを受けたことは一度もない。とくに不自由なくいくらでも泳げるのだが、無駄のない美しいフォームとは言えない。どちらかというと、力任せに泳いでしまうタイプである。もし本格的にトライアスロンをやるのであれば、いつか泳ぎ方を改造しなくてはなと、前から考えてはいた。このさいメンタルな方面での原因を追究するのと並行して、クロールのフォームの方を解決しておくのも悪くない。技術的な欠陥を詰めていけば、それと連動して、別の問題も明確になってくるかもしれない。

というわけで、僕のトライアスロン挑戦はひとまず四年間の空白を置くことになる。

そのあいだ、いつもと同じように長距離を走り、年に一度のマラソン・レースに出ていた。しかし正直言って、心はもうひとつ晴れなかった。もちろん、このトライアスロンでの失敗が頭にひっかかっていたからだ。いつかしっかりリヴェンジを果たさなくては、と、ずっと考えていた。僕はこういうことにかけては、わりにしつこい性格である。何かできなかったことがあると、それができるようになるまで、納得もいかないし、気持ちも落ち着かない。

フォーム改良のために何人か水泳のコーチについたのだが、なかなか「これは」という人には巡り合えなかった。世の中にうまく泳げる人は数多くいるが、泳ぎ方を要領よく教授できる人はあまりいない。それが僕の実感だった。小説の書き方を教えるのもむずかしいが（少なくとも僕にはできそうにない）、泳ぎ方を教えるのもそれに劣らずむずかしそうだ。いや、何も水泳や小説に限ったことではない。決まったことを、決まった手順で、決まった言葉を使って教えられる教師はいても、相手を見て、相手の能力や傾向に合わせて、自分の言葉を使ってものを教えることのできる教師は数少ない。というか、ほとんどいないと言っていいかもしれない。

最初の二年ばかりはコーチ探しでむなしく費やされた。コーチにつくたびにフォームをいじりまわされ、おかげで泳ぎ方がばらばらになり、ひどいときにはほとんど泳げなくなった。もちろん自信もなくしていく。とてもレースに出るどころではなかった。

ものごとが前に進み始めたのは、「フォームの改造はもう無理じゃないか」とあきらめかけたころだった。コーチをみつけてきてくれたのはうちの奥さんだった。彼女は生まれてこのかたまったく泳げなかったのだが、通っているジムでたまたま、ある若い女性の水泳コーチについて、見違えるほどきれいに泳げるようになった。それで彼女が「この先生についてやってみたら」と薦めてくれた。

コーチは僕の泳ぎぶりをひととおり見て、それから泳ぎの目的を尋ねた。「トライアスロンに出たいんです」と僕は言った。「じゃあ海でクロールで、長距離の泳ぎができればいいんですね?」と彼女は尋ねた。「そうです。短距離のスピードはいりません」と僕は言った。「わかりました。目的がはっきりしている方がやりやすいです」

そのようにしてマンツーマンでフォームの改造が始まった。とはいえ、僕のこれまでの泳ぎ方が全面的に否定されて、何もない焦土から新たな構築が始まるわけではない。僕は思うのだけれど、まったく泳げない人を白紙の状態から教えていくよりも、ある程度泳げる人のフォームを改造していく方が、教師の側からすればおそらく難度は高いはずだ。一度身についた変則的な泳ぎ方を捨て去るのは、簡単なことではないからだ。だから彼女は強引にフォームの全面的改造をおこなうのではなく、身体の細かい動かし方を、ひとつひとつ時間をかけて補正していった。

この人の教え方の特徴は、最初から教科書的に正しいフォームを教えようとしないところにある。たとえば正しいローリングを覚えさせるためには、まずローリングなしで泳ぐことから教える。つまり自己流でクロールを身につけた人は、ローリングを意識してやりすぎる傾向がある。そのために逆に水の抵抗が増えて、泳ぐスピードが落ちる。エネルギーが無駄に費やされる。だからまずローリング抜きで、平たい板みたいになって泳ぐことを覚えさせる。つまり水泳のテキストブックとはまったく逆のことを教えるわけだ。言うまでもなく、そんな泳ぎ方をしていたらスムーズには泳げない。自分がすごく不細工なスイマーになったように感じられる。でも言われたとおりにしつこく練習していると、その理屈に合わない不格好な泳ぎでもなんとか泳げるようになってくる。

するとそこに彼女は少しずつローリングの動きを賦与《ふよ》していく。ほんの少しずつ。それも「これはローリングの練習ですよ」みたいなことは言わず、個別的な身体の動かし方だけを教えていく。教えられる方は、そのプラクティスの具体的な意図はわからない。ただ言われたとおりに、身体のその部分をこつこつと動かしているだけ。肩のまわし方なら肩のまわし方ばかり、しつこくいやというほど反復させられる。肩のまわし方だけで一日が終わることもある。これはけっこうくたびれるし、むなしい。しかしあとになって振り返ると、「ああ、そうか。そういうことだったのか」と理解できる。パーツが全部組み合わされ、全体像が見えてきて、そこで初めて個別の部品の機能がわかってくる。夜が明けて、空が明るくなり、それまではただぼんやりとしか見えなかった家々の屋根のかたちや色合いが、鮮明に浮かび上がってくるみたいに。

それはドラムセットの練習に似ているかもしれない。何日もバスドラムのパターンばっかりやらされる。何日もシンバルの訓練ばかりやらされる。何日もタムタムの練習ばかり……単調で退屈である。でもそれらが一体になると、びしっとしたリズムマシーンが出現する。そこにいたるために、しつこく、厳しく、そして我慢強く、個別パートのねじが締められていく。もちろん時間はかかる。しかしある場合には、時間をかけることがいちばんの近道になる。そのようにして、改造にとりかかって一年半ののちには、前よりは遥かにきれいな、比較的無駄のないフォームで長距離を泳げるようになった。

それから水泳のトレーニングをしている間に、ひとつわかったことがあった。僕がレース本番でうまくクロールの呼吸ができなかったのは、実は「過呼吸」のせいだったのだ。プールで泳いでいるときに、まったく同じ症状が出たことがあって、そこで思い当たった。僕はスタート前に大きく速く呼吸をしすぎていたのだ。おそらくレース前の緊張によるものなのだろう、酸素を急激に多く摂りすぎていた。だから泳ぎ始めるときに「はあはあ」と息が上がって、呼吸のタイミングが狂ってしまったのだ。

具体的な原因らしきものが判明すると、気持ちがずいぶん楽になった。とにかく過呼吸の状態を起こさないようにすればいいのだ。レースがスタートする前に実際に海に入って泳ぎの練習をし、海で泳ぐことに身体と気持ちを慣らすように心がける。過呼吸状態に陥らないように控えめに呼吸をし、酸素を摂りすぎないために、手のひらで口を覆うようにして息を吸う。「もうこれで大丈夫。水泳のフォームも変えたし、この前とはぜんぜん違うんだ」と自分に言い聞かせる。

そして２００４年の村上トライアスロンに四年ぶりに再挑戦した。いよいよレースがスタートした。サイレンの音でみんなが一斉に泳ぎ出す、誰かが僕の脇腹を蹴る。はっとする。「また駄目なんじゃないか」という恐怖が一瞬脳裏をよぎる。少し水を飲む。

とりあえず平泳ぎに切り替えようか？　でも気を取り直す。「いや、そんな必要はない。きっとうまくいくはずだ」。息を整え、もう一度クロールの動作を始める。息を吸うことより、水中で息を吐き出すことに意識を集中する。懐かしいバブリングの音が耳に届く。そう、それでいい。自分の身体がうまく波に乗っていくのが感じられる。

そんな具合に、僕は泳ぎ出しのパニックをなんとか克服し、トライアスロンを完走することができた。長いブランクもあったし、自転車のトレーニングまで手が回らなかったので、成績はたいしたものではなかった。しかし途中棄権の屈辱を払拭《ふっしょく》するのが第一の目的だったし、その目的は果たしたことになる。ほっとした、というのが僕の実感だった。

過呼吸問題では「自分では厚かましい性格だと思っていたのだけど、これで意外に神経質なところがあるんだな」と思った。スタート前にそれほど神経が高ぶっていたなんて、本人にもまったくわからなかった。でもちゃんと緊張していたのだ。人並みに。たとえいくつになっても、生き続けている限り、自分という人間についての新しい発見はあるものだ。裸で鏡の前にどれだけ長い時間じっと立っていたところで、人間の中身まで映らない。

2006年10月1日、秋晴れの日曜日の朝、九時半、僕はこうして再び新潟県村上市の海岸線に立ち、レースのスタートを待っている。いくぶん緊張しつつ、しかし過呼吸に陥らないようにじゅうぶん注意しながら。念のためにもう一度装備の点検をする。コンピュータ・チェックのためのアンクル・ブレスレットはしっかりついている。水から上がったあとスイム・スーツが素早く脱げるように、ワセリンを身体に塗った。ストレッチも念入りにやった。必要な給水もとった。トイレにもいった。やり残したことはない。たぶん。

何度もこの大会には出ているから、中には顔見知りの人もいる。そういう人たちと時間待ちの間に握手をしたり、世間話をしたりする。僕はあまり人づきあいの良い方ではないが、トライアスロンの選手たちとは気楽に素直に話をすることができる。我々はこの社会にあって、どちらかといえば特殊な人種なのだ。考えてもみてほしい。選手たちのほとんどが仕事と家庭をもって暮らしており、その上に水泳と自転車とランの練習を——それもかなり激しい練習を——日常的にこなさなくてはならないのだ。もちろん時間もとられるし、エネルギーももっていかれる。世間の一般的な常識から見れば、とてもまともな生活とは言えないはずだ。変人・奇人と言われても文句が言えない部分はある。だから「連帯感」というほど偉そうなものではないにしても、温かい共通項のようなものが我々のあいだには漠然と、晩春の峰にかかった淡い色合いのもやのごとく、存在する。もちろんレースだから勝ち負けの要素は間違いなくあるわけだが、一般的なトライアスリートにとってレースに参加することは、勝ち負けよりはむしろそういう共通項の有り様を——つまりもやのかたちや色合いを——確認する儀式としての意味合いの方がより強いかもしれない。

そういう意味においては、村上トライアスロンは実に手頃な大会である。参加人数もそれほど多くないし（だいたい三百人から四百人というところだ）、大会運営も仰々しくない。小さな地方都市の、手作りのトライアスロン大会である。町の人々も温かく応援してくれる。ごてごてした過剰なところがなく、おっとりとした雰囲気が僕の好みにあっている。大会そのものとは関係ないけれど、湯量の豊富な温泉もあるし、食べ物もおいしいし、地酒（とくに「〆張鶴」）もうまい。レースに通っているうちに、現地にだんだん知り合いも増えた。東京からわざわざ応援に来てくれる人もいる。

九時五十六分にスタートのサイレンが鳴る。みんなが一斉にクロールで泳ぎ始める。いちばん緊張する一瞬だ。

僕も頭から水の中につっこみ、キックし、両腕で水をかく。余計なことは脳裏から追い払い、空気を吸うことよりも吐きだすことに意識を集中する。心臓がどきどきする。うまくペースがつかめない。身体がいくぶん硬くなっている。例によって誰かが僕の肩口を蹴飛ばす。誰かが背中から僕の身体の上にのしかかってくる。亀の甲羅によその亀が乗ってくるみたいに。おかげで少し水を飲む。でもたいした量ではない。あわてることはない、と自分に言い聞かせる。パニックを起こしてはいけない。呼吸を規則正しく繰り返す。それがいちばん大事なことだ。そうしているうちに少しずつ、一目盛りずつ、身体の緊張がほぐれてくるのがわかる。うん、これでなんとかうまくいきそうだ。この調子で泳ぎ続ければいいのだ。いったんリズムをつかめば、あとはそれを維持していくだけだ。

しかしやがて——トライアスロン・レースにあってはある意味で避けがたいことではあるのだが——予想もしなかったトラブルが僕を待ちかまえている。クロールをしながら顔を上げて前を向き、方向を確認しようとすると「あれ?」、前方がろくすっぽ見えないのだ。ゴーグルが曇っている。深い霧を通したみたいに、世界がぼんやりと白濁している。泳ぐのをやめ、立ち泳ぎをしながら指でゴーグルの曇りをごしごしと拭く。それでもまだうまく前が見えない。どうしてだろう？　ゴーグルはふだんから使い慣れているものを使っている。泳ぎながらの視界の確認はずいぶん練習もしたのだ。いったいどうしたというのだ？　ふと、あることに思い当たる。さっき身体にワセリンを塗ってから手を洗っていない。その指でうっかりゴーグルを拭いてしまったのだ。まったくもう、なんという間抜けなのだろう？　いつもはスタート前にゴーグルに唾をつけて拭いておく。そうすれば内側が曇らなくなる。今回に限ってそれをやるのも忘れていた。

１５００メートルの水泳のあいだずっと、ゴーグルの曇りに悩まされた。しょっちゅうコースをずれて、見当違いな方向に泳いでいって、ずいぶん時間を無駄にした。ときどき立ち止まってゴーグルを外し、立ち泳ぎをしながらコースを確認しなくてはならなかった。目隠しをしてスイカ割りをしている子供の姿を想像していただけると近いかもしれない。

考えてみれば、思い切ってゴーグルを外してしまえばよかったのだ。ゴーグルなしでどんどん泳いでいけばよかったのだ。しかし泳いでいる最中は気が動転しているから、そこまでは思いがいたらない。そんなこんなで、今回の水泳部門はあたふたとしたものになってしまった。前もって予想したよりもタイムは悪かった。実力からいけば——かなり真剣に練習したのだ——もっと速く泳げたはずだ。しかし棄権することなく、ひどく落ちこぼれることもなく、とにかく最後まで泳ぎきることができたし、少なくともまっすぐ泳いでいるときにはしっかりと泳げたと思う。

砂浜にあがり、自分の自転車の置き場に直行し（これが簡単そうで意外にむずかしい）、窮屈なスイム・スーツをもぎ取るように脱いで、バイク・シューズを履き、ヘルメットをかぶり、風防サングラスをかけ、水をごくごくと飲んでから公道に出ていく。それだけの一連の動作を機械的にこなす。ふと気がつくと、ついさっきまで海の中をじゃぶじゃぶ泳いでいたというのに、今ではペダルを踏んで、時速30キロで風を切っている。これは何度経験しても、妙な気分のするものだ。重力も違うし、スピードも違うし、手応えも違うし、使う筋肉もぜんぜん違う。山椒魚が急にダチョウに進化したみたいだ。いくらなんでも、頭はそんなに急には切り替えられない。身体だってやはりとまどっている。ペースに乗り切れず、あっという間に七人ばかりに抜かれた。「このままじゃやばいなあ」と思うものの、そのまま折り返し地点まで一人も抜けなかった。

バイクのコースは「笹川流れ」という有名な海岸線で、ところどころ海の中に奇岩がそびえ、風光明媚なところだ（ゆっくりと風景を観賞している余裕はこちらにはないが）。村上市から海岸沿いに北上し、山形県との県境近くで折り返し、同じコースを戻ってくる。アップダウンは数カ所あるが、頭が白くなるほど峻険なものではない。抜いたり抜かれたりすることは気にせず、ペダルの回転数を一定に保つことだけを意識して、軽いめのギアで足を確実に回し続ける。定期的にボトルに手を伸ばし、手短に給水をとる。そうするうちにだんだんバイクの本来の感覚が戻ってきた。これならいけそうだという気がしてきたので、折り返したあたりから思い切って重めのギアに切り替え、スピードに乗り、後半で七人ほどを抜いた。風がそんなに強くなかったせいで、積極的にペダルを踏み込んでいくことができた。風が強いと、僕のように自転車乗りとしての経験の浅い人間は意気消沈してしまう。強い風をうまく自分の側につけていくには長年の経験と、それなりのテクニックが必要になってくるからだ。しかし風がなければただ単純に脚力の問題になってくる。結局40キロを予想したよりもいくぶん速いペースで走りきり、それから懐かしいランニング・シューズに履き替えて、最後のランに移る。

しかし調子に乗って自転車の後半で力を入れすぎたおかげで、ランに移ってからの切り替えが本当にきつかった。バイクの最後あたりで意識的に力をセーブし、余力を残してランに移るというのが常道なのだが、レースの最中にはそこまでなかなか頭が回らない。だから全開状態のまま、まっすぐランに突入してしまった。案の定、脚が思うように動かない。頭が「さあ、走れ!」と命令しても、足の筋肉が言うことを聞いてくれない。いちおう走ってはいるのだが、走っているという感覚がほとんどない。

しかしこれも多少の差こそあれ、トライアスロン・レースでは毎度おなじみのことである。自転車で一時間以上タフに使い続けた筋肉がまだそのまま「営業状態」にあるために、ランで使うための筋肉がすんなりと動き出せないのだ。その筋肉のレールの切り替えにしばらく時間がかかる。最初の3キロばかりは、両脚がほとんどロックされたままだった。それからやっとなんとか「走る」という態勢ができてくる。でも今回はこの態勢に持ち込むまでに、いつもより余分に時間がかかった。僕は三部門の中では走るのがいちばん得意だから、普通ならランの部門で三十人くらいの人を軽く抜くのだが、今回はそうはいかなかった。十人から十五人くらいしか抜けなかった。しかし前回は自転車の部門でけっこう抜かれた。今回はそれをなんとかイーブン・パーでこなすことができた。ランの成績がぱっとしなかったのは残念だが、そのぶん得意不得意の差が減って、タイムが全体的に均《なら》されてきて、僕も少しずつトライアスリートの体質に近づいてきたのかもしれない。それはまあ喜んでいいことなのだろう。

村上市の古い美しい街並みを、一般市民（というか）の声援を受けながら必死に走り抜け、全力を振りしぼるようにしてゴールインする。嬉しい瞬間だ。いろんなきつい思いをしても、予想外の展開があっても、いったんゴールインしちゃえばすべてはあっさりと消えてしまう。ほっと一息ついたあとで、バイクの部門から競り合うようなかたちになり、何度もしつこく抜きつ抜かれつしてきたゼッケン329番の人とにっこり握手をする。お疲れさま。最後の方でペースアップしていって、もう少しでこの人を抜けたのだが、3メートルほど及ばなかった。走り始めて少ししてシューズの紐がほどけ、二度ばかり立ち止まって結び直さなくてはならず、おかげで時間を無駄にした。もしそれがなかったらきっと抜けていたはずだ（という希望的仮説）。もちろんすべての責任は、レース前にシューズをチェックすることをおろそかにしていた僕にあるわけだが。

いずれにせよレースは終了し、村上市役所前にもうけられたゴールにめでたく走り込むことができた。溺れもせず、パンクもせず、悪質なクラゲにも刺されず、凶暴な熊にも体当たりされず、すずめばちも見かけず、雷にも打たれなかった。ゴールで待っていた奥さんも、僕に関する不快な事実をとくに発見してはおらず、素直に「よかったね」と祝福してくれた。ああよかった。

何より嬉しかったのは、今日のレースを僕自身が心から個人的に楽しめたことだった。他人に自慢できるようなタイムではない。細かい失敗も数多くした。でも僕なりに全力は尽くしたし、その手応えのようなものはまだ身体にほんのりと残っている。そしてまた、いろんなところがこの前のレースよりいくらかずつ改善されていたと思う。それはやはり大事なポイントだ。トライアスロンというのは三つの競技が組み合わさっていて、それぞれのつなぎ目の処理がむずかしいぶん、経験が大きくものをいう競技であるからだ。経験によって肉体能力の差をカバーしていくことは可能だ。言い換えるなら、経験から学んでいくことがトライアスロンという競技の喜びであり、面白みなのだ。

もちろん肉体的には苦しかったし、精神的にへこんでしまいそうな局面も時としてあった。でも「苦しい」というのは、こういうスポーツにとっては前提条件みたいなものである。もし苦痛というものがそこに関与しなかったら、いったい誰がわざわざトライアスロンやらフル・マラソンなんていう、手間と時間のかかるスポーツに挑むだろう？

苦しいからこそ、その苦しさを通過していくことをあえて求めるからこそ、自分が生きているというたしかな実感を、少なくともその一端を、僕らはその過程に見いだすことができるのだ。生きることのクオリティーは、成績や数字や順位といった固定的なものにではなく、行為そのものの中に流動的に内包されているのだという認識に（うまくいけばということだが）たどり着くこともできる。

新潟から車で東京に帰る途中、車の屋根に自転車を積んだレース帰りの人々を何人か見かけた。よく日焼けした、いかにも丈夫そうな体つきの人々だ。トライアスロン体型。僕らは初秋の日曜日のささやかなレースを終え、それぞれの家に、それぞれの日常に帰っていく。そして次のレースに向けて、それぞれの場所で（たぶん）これまでどおり黙々と練習を続けていく。そんな人生がはたから見て——あるいはずっと高いところから見下ろして——たいした意味も持たない、はかなく無益なものとして、あるいはひどく効率の悪いものと映ったとしても、それはそれで仕方ないじゃないかと僕は考える。たとえそれが実際、底に小さな穴のあいた古鍋に水を注いでいるようなむなしい所業に過ぎなかったとしても、少なくとも努力をしたという事実は残る。効能があろうがなかろうが、かっこよかろうがみっともなかろうが、結局のところ、僕らにとってもっとも大事なものごとは、ほとんどの場合、目には見えない（しかし心では感じられる）何かなのだ。そして本当に価値のあるものごとは往々にして、効率の悪い営為を通してしか獲得できないものなのだ。たとえむなしい行為であったとしても、それは決して愚かしい行為ではないはずだ。僕はそう考える。実感として、そして経験則として。

そういう効率の悪い営為のサイクルがいつまで現実的に維持できるものか、もちろん僕にもわからない。でもここまでなんとか飽きずにしつこくやってきたんだもの、とにかく続けられる限りは続けてみようじゃないかと思う。長距離レースが今ここにある僕を（多かれ少なかれ、良かれ悪しかれ）育て、かたち作ってきたのだ。それが可能である限りは、僕はこれからも長距離レース的なものごととともに生活を送り、ともに年齢を重ねていくことになるだろう。それもひとつの——筋が通ったとまでは言わないけれど——人生ではあるだろう。というか、今更ほかに選びようもないではないか。

車のハンドルを握りながらふと、そんなことを考えた。

僕はこの冬に世界のどこかでまたフル・マラソン・レースをひとつ走ることになるだろう。そして来年の夏にはまたどこかでトライアスロン・レースに挑んでいることになるだろう。そのようにして季節が巡り、年が移っていく。僕はひとつ年を取り、おそらくは小説をひとつ書き上げていく。とにかく目の前にある課題《タスク》を手に取り、力を尽くしてそれらをひとつひとつこなしていく。一歩一歩のストライドに意識を集中する。しかしそうしながら同時に、なるべく長いレンジでものを考え、なるべく遠くの風景を見るように心がける。なんといっても僕は長距離ランナーなのだ。

個々のタイムも順位も、見かけも、人がどのように評価するかも、すべてあくまで副次的なことでしかない。僕のようなランナーにとってまず重要なことは、ひとつひとつのゴールを自分の脚で確実に走り抜けていくことだ。尽くすべき力は尽くした、耐えるべきは耐えたと、自分なりに納得することである。そこにある失敗や喜びから、具体的な――どんなに些細なことでもいいから、なるたけ具体的な――教訓を学び取っていくことである。そして時間をかけ歳月をかけ、そのようなレースをひとつずつ積み上げていって、最終的にどこか得心のいく場所に到達することである。あるいは、たとえわずかでもそれらしき場所に近接することだ（うん、おそらくこちらの方がより適切な表現だろう）。

もし僕の墓碑銘なんてものがあるとして、その文句を自分で選ぶことができるのなら、このように刻んでもらいたいと思う。

村上春樹
作家（そしてランナー）
1949－20＊＊
少なくとも最後まで歩かなかった

今のところ、それが僕の望んでいることだ。

後書き　世界中の路上で

この本に収められた原稿は、各章の冒頭に記されているように、2005年の夏から2006年の秋にかけて書かれている。一気にまとめて書けるという種類の文章ではないので、ほかの仕事をしながら、その合間に時間をみつけて、ぼちぼちと書き進めていった。「さあ、僕は今いったい何を考えているのだろう？」と、そのたびに自らに問いかけながら。だからそれほど長い本でもないのだけれど、書き出してから書き終えるまでにけっこう時間がかかったし、書き終えたあとも丹念に細かく手を入れなくてはならなかった。

僕はこれまでに旅行記やエッセイ集はいくつか出しているが、このようにひとつのテーマを軸にして、自分自身について正面から語ったという経験があまりないので、それだけ念を入れて文章を整えなくてはならなかった。自分について語りすぎるのもいやだし、かといって語るべきことを正直に語らないと、わざわざこういう本を書いた意味がなくなってしまう。そのへんの微妙な兼ね合いは、時間をおいて何度も原稿を読み返さないと見えてこない。

僕はこの本を「メモワール」のようなものだと考えている。個人史というほど大層なものでもないが、エッセイというタイトルでくるには無理がある。前書きにも書いたことを繰り返すようなかたちになるが、僕としては「走る」という行為を媒介にして、自分がこの四半世紀ばかりを小説家として、また一人の「どこにでもいる人間」として、どのようにして生きてきたか、自分なりに整理してみたかった。小説家がどこまで小説そのものに固執し、どれくらいの肉声を公にするべきかという基準は、個人によって違ってくるだろうし、一概には決めつけられない。僕としては、できることならこの本を書くことを通して、僕自身にとってのその基準のようなものを見いだすことができればという希望があった。そのあたりがうまくいったかどうか、僕にもまだあまり自信はない。でも書き終えた時点で、長く背負っていたものをすっと下に降ろすことができた、というささやかな感触のようなものがあった。たぶんこういうものを書くには、ちょうど良い人生の頃合いだったのだろう。

この文章をとりあえず書き終えてから、いくつかのレースに参加した。07年の初めにフル・マラソンをひとつ、国内で走る予定でいたのだが、直前になって（珍しく）風邪をひいてしまって、走ることができなかった。走っていれば二十六度目のレースということになったのだが、結局06年秋から07年春にかけてのシーズンは、フル・マラソンをひとつも走らないままに終わってしまった。心残りではあるが、次のシーズンにがんばろうと思う。

そのかわりに5月には、ホノルル・トライアスロンに参加した。オリンピック・サイズの大会だが、これは楽しく、気持ちよく、スムーズに完走することができた。タイムも前のレースよりいくらか改善された。また一年ばかりホノルルに在住していたので、良い機会だからと思って、現地で開かれている「トライアスロン塾」みたいなものに参加し、週に三回、三カ月ばかりホノルル市民とともにトライアスロンの練習に励んだ。このプログラムは実際的にとても役に立ったし、またグループの中で友人（トラ友）をつくることもできた。

このように、寒い時期にマラソン・レースを走り、夏場にはトライアスロンに参加するというのが、僕の生活サイクルになりつつある。シーズンオフがないから、いつもなんだか忙しいということになってしまうわけだが、僕としては人生の楽しみが増えていくことについて苦情を申し立てるつもりはまったくない。

アイアンマン・サイズの本格的なトライアスロン大会にがんばってトライすることにも、正直言って興味がなくはないのだが、そこまでいってしまうと、日々の練習に時間をとられて（間違いなくとられる）、本業に差し支えが出てくるのではないか、という危惧がある。僕がウルトラ・マラソンの方向に進んでいかなかったのも、同じ理由からである。僕の場合、こうして運動を続けているのは「小説をしっかり書くために身体能力を整え、向上させる」ということが第一目的なわけだから、レースや練習のためにものを書く時間が削られてしまうと、それは本末転倒というか、ちょっと困ったことになる。というわけで、今のところは比較的穏健な段階に自らをとどめている。

いずれにせよ、こうして四半世紀にわたって日々走り続けてきたわけだから、そこにはいろんな思い出がある。

今でもよく覚えているのは、1984年に作家のジョン・アーヴィング氏と一緒にセントラル・パークを走ったことだ。僕はそのとき彼の長編小説『熊を放つ』を訳していて、ニューヨークに行ったときに彼にインタビューを申し込んだ。「忙しいから時間がとれないんだけど、朝にセントラル・パークをジョギングするから、そのとき一緒に走れば話ができる」ということだった。それで一緒に早朝の公園を走りながら、いろんな話をした。もちろん録音もできないし、メモもとれなかったが、すがすがしい空気の中を、二人で肩を並べて走った楽しい記憶だけが頭に残っている。

80年代のことだが、東京で毎朝ジョギングをしているときに、一人の素敵な若い女性とよくすれ違った。何年にもわたってすれ違っていたから、そのうちに自然に顔見知りになり、会うたびにお互いにっこりと挨拶をしていたのだが、結局話をすることもなかったし（内気なので）、相手の名前ももちろん知らない。でも毎朝のように彼女と顔を合わせるのは、そのころの僕のささやかな喜びのひとつだった。少しくらいそういう喜びがなかったら、なかなか毎朝は走れない。

バルセロナ・オリンピックの銀メダリスト、有森裕子さんとコロラド州ボールルダーの高地を一緒に走ったのも、心に残る体験のひとつだった。もちろん軽いジョグだが、日本から標高三千メートルに近い高地に行って、急に走ったものだから、肺が悲鳴をあげて、頭がくらくらして、喉がからからになって、とてもついていけない。でも有森さんは冷ややかな目で、そんな僕をちらりと見やって、「どうしたんですか、村上さん」と言っただけだった。プロの世界は厳しいのだ（実は親切な人なのだが）。でも三日目くらいになると、だんだん薄い空気にも身体が慣れてきて、ロッキー山地での爽快なジヨグを楽しむことができるようになった。

このように走ることを通じて、いろんな人と知り合えたのも、僕にとっての喜びのひとつである。また多くの人々が僕を助けてくれたり、励ましてくれたりした。本来ならここで、アカデミー賞授賞式のときのように、多くの人々に謝意を表さなくてはならないところだが、いちいち名前をあげていくときりがないし、多くの読者にはおそらく関係のないことだと思うので、以下にとどめる。

僕の敬愛する作家、レイモンド・カーヴァーの短編集のタイトル *What We Talk About When We Talk About Love* を、本書のタイトルの原型として使わせてもらった。こころよく許可を与えてくれた夫人のテス・ギャラガーに感謝する。また十年以上にわたって、原稿の完成をずっと待ち続けてくれた我慢強い編集者、岡みどりさんにも深く感謝したい。

そして最後に、これまで世界中の路上ですれ違い、レースの中で抜いたり抜かれたりしてきたすべてのランナーに、この本を捧げたい。もしあなた方がいなかったら、僕もたぶんこんなに走り続けられなかったはずだ。

2007年8月某日　　村上春樹

本書は書き下ろし作品ですが、100キロ・マラソン等については、下記の各誌にエッセイが掲載されました。
42.195キロのテラ・インコグニタ
——ギリシャ古代マラソン・ロード完走記
「ペントハウス」1983年10月号　講談社
ハートブレーク・ヒルで会おう
「Impression Gold」1991年vol.15
チャールズ河畔における私の密かなランニング生活
「Class X」（太陽増刊号）1995年11月　平凡社
走れ、歩くな！——サロマ湖100キロウルトラマラソン
「Quarterly M」（太陽増刊号）1997年４月　平凡社
走れ、歩くな！２——村上国際トライアスロン
「Monthly M」1998年５月号　平凡社
どれくらいハッピーな気持でゴールインできるか？　これが一番大事なことなのだ
「ブルータス」1999年６月１日号　マガジンハウス

写真撮影
P97、100-101　景山正夫
上記以外　松村映三

本文デザイン　野中深雪

単行本　二〇〇七年十月　文藝春秋刊

文春文庫

走《はし》ることについて語《かた》るときに僕《ぼく》の語《かた》ること

定価はカバーに
表示してあります

2010年6月10日　第1刷
2024年5月15日　第22刷

著　者　村《むら》上《かみ》春《はる》樹《き》
発行者　大沼貴之
発行所　株式会社　文藝春秋

東京都千代田区紀尾井町 3-23　〒102-8008
TEL　03・3265・1211(代)
文藝春秋ホームページ　http://www.bunshun.co.jp

落丁、乱丁本は、お手数ですが小社製作部宛お送り下さい。送料小社負担でお取替致します。

印刷・TOPPAN　製本・加藤製本

Printed in Japan
ISBN978-4-16-750210-2

（　）内は解説者。品切の節はご容赦下さい。

村上春樹
TVピープル
「TVピープルが僕の部屋にやってきたのは日曜日の夕方だった」。得体の知れないものが迫る恐怖を現実と非現実の間に見事に描く。他に「加納クレタ」「ゾンビ」「眠り」など全六篇を収録。
む-5-2

村上春樹
レキシントンの幽霊
古い館で「僕」が見たもの、いや、見なかったものは何だったのか？　表題作の他「氷男」「緑色の獣」「七番目の男」など全七篇を収録。不思議で楽しく、底無しの怖さを感じさせる短篇集。
む-5-3

村上春樹
約束された場所で
underground 2
癒しを求めた彼らが、なぜ救いのない無差別殺人に行き着いたのか。オウム信者、元信者へのインタビューと河合隼雄氏との対話によって、現代の心の闇を明らかにするノンフィクション。
む-5-4

村上春樹
シドニー！
①コアラ純情篇
②ワラビー熱血篇
走る作家の極私的オリンピック体験記。二〇〇〇年九月、興奮と熱狂のダウンアンダー（南半球）で、アスリートたちとともに過ごした二十三日間――そのあれこれがぎっしり詰まった二冊。
む-5-5

村上春樹
若い読者のための短編小説案内
戦後日本の代表的な六短編を、村上春樹さんが全く新しい視点から読み解く。自らの創作の秘訣も明かしながら論じる刺激いっぱいの読書案内。「小説って、こんなに面白く読めるんだ！」
む-5-7

村上春樹・吉本由美・都築響一
東京するめクラブ　**地球のはぐれ方**
村上隊長を先頭に、好奇心の赴くまま「ちょっと変な」所を見てまわった、トラベルエッセイ。挑んだのは魔都・名古屋、誰も知らない江の島、ゆる～いハワイ、最果てのサハリン……。
む-5-8

村上春樹
意味がなければスイングはない
待望の、著者初の本格的音楽エッセイ。シューベルトのピアノ・ソナタからジャズの巨星にJポップまで、磨き抜かれた達意の文章で、しかもあふれるばかりの愛情をもって語り尽くされる。
む-5-9

（　）内は解説者。品切の節はご容赦下さい。

村上春樹
走ることについて語るときに僕の語ること
八二年に専業作家になったとき、心を決めて路上を走り始めた。走ることは彼の生き方・小説をどのように変えてきたか？　村上春樹が自身について真正面から綴った必読のメモワール。
む-5-10

村上春樹
パン屋再襲撃
彼女は断言した、「もう一度パン屋を襲うのよ」。学生時代にパン屋を襲撃したあの夜以来、かけられた呪いをとくために。〝ねじまき鳥〟の原型となった作品を含む、初期の傑作短篇集。
む-5-11

村上春樹
夢を見るために毎朝僕は目覚めるのです
村上春樹インタビュー集1997-2011
1997年から2011年までに受けた内外の長短インタビュー19本。作家になったきっかけや作品誕生の秘密について。寡黙な作家というイメージを破り、徹底的に誠実に語りつくす。
む-5-12

村上春樹
色彩を持たない多崎つくると、彼の巡礼の年
多崎つくるは駅をつくるのが仕事。十六年前、親友四人から理由も告げられず絶縁された彼は、恋人に促され、真相を探るべく一歩を踏み出す――全米第一位に輝いたベストセラー。
む-5-13

村上春樹
女のいない男たち
六人の男たちは何を失い、何を残されたのか？　「ドライブ・マイ・カー」『イエスタデイ』『独立器官』など全六篇。見慣れたはずのこの世界に潜む秘密を探る、めくるめく短篇集。
む-5-14

村上春樹
ラオスにいったい何があるというんですか？
紀行文集
ボストンの小径とボールパーク、アイスランドの自然、フィンランドの不思議なバー、ラオスの早朝の僧侶たち、そして熊本の町と人びと――旅の魅力を描き尽くす、待望の紀行文集。
む-5-15

村上春樹　絵・高　妍
猫を棄てる
父親について語るとき
ある夏の午後、僕は父と一緒に自転車に乗り、猫を海岸に棄てに行った――語られることのなかった父の記憶・体験を引き継ぎ、辿り、自らのルーツを綴った話題のノンフィクション。
む-5-16

（　）内は解説者。品切の節はご容赦下さい。

村上春樹
一人称単数
ビートルズのLPを抱えて高校の廊下を歩いていた少女。鄙びた温泉宿で背中を流してくれた、年老いた猿の告白―そこで何が起こり何が起こらなかったのか。驚きと謎を秘めた短編集。

む-5-17

ティム・オブライエン
村上春樹 訳
ニュークリア・エイジ
ヴェトナム戦争、テロル、反戦運動……我々は何を失い、何を得たのか？　六〇年代の夢と挫折を背負いつつ、核の時代の生を問う、いま最も注目される作家のパワフルな傑作長篇小説。

む-5-30

ティム・オブライエン
村上春樹 訳
本当の戦争の話をしよう
人を殺すということ、失った戦友、帰還の後の日々――ヴェトナム戦争で若者が見たものとは？　胸の内に「戦争」を抱えたすべての人に贈る真実の物語。鮮烈な短篇作品二十二篇収録。

む-5-31

マイケル・ギルモア
村上春樹 訳
心臓を貫かれて
（上下）

みずから望んで銃殺刑に処せられた殺人犯の実弟が、兄と父、母の血ぬられた歴史、残酷な秘密を探り、哀しくも濃密な血の絆を語り尽くす。衝撃と鮮烈な感動を呼ぶノンフィクション。

む-5-32

グレイス・ペイリー
村上春樹 訳
最後の瞬間のすごく大きな変化
村上春樹訳で贈る、アメリカ文学の「伝説」、N Y・ブロンクス生れ、白髪豊かなグレイスおばあちゃんの傑作短篇集。タフでシャープで温かい、「びりびりと病みつきになる」十七篇。

む-5-34

グレイス・ペイリー
村上春樹 訳
人生のちょっとした煩《わずら》い
アメリカ文学のカリスマにして、伝説の女性作家と村上春樹のコラボレーション第二弾。タフでシャープで、しかも温かく、滋味豊かな十篇。巻末にエッセイと、村上による詳細な解題付き。

む-5-35

グレイス・ペイリー
村上春樹 訳
その日の後刻に
生涯に三冊の作品集を残したグレイス・ペイリーの村上春樹訳による最終作品集。人生の精緻なモザイクのような十七の短篇に、エッセイ、ロングインタビュー、訳者あとがき付き。

む-5-38

（　）内は解説者。品切の節はご容赦下さい。

安野光雅
絵のある自伝
昭和を生きた著者が出会い、別れていった人々との思い出をユーモア溢れる文章と柔らかな水彩画で綴る初の自伝。心温まる追憶は時代の空気を浮かび上がらせ、読む者の胸に迫る。
あ-9-7

阿川佐和子
バイバイバブリー
根がケチなアガワ、バブル時代の思い出といえば…。あのフワフワと落ち着きのなかった時を経て沢山の失敗もしたから分かる、今のシアワセ。共感あるあるの、痛快エッセイ！
あ-23-27

浅田次郎
君は嘘つきだから、小説家にでもなればいい
裕福だった子供時代、一家離散の日々で身につけた習慣、二人の母のこと、競馬、小説。作家・浅田次郎を作った人生の諸事が綴られた文章に酔いしれる、珠玉のエッセイ集。
あ-39-14

浅田次郎
かわいい自分には旅をさせよ
京都、北京、パリ……誰のためでもなく自分のために旅をし、日本を危うくする「男の不在」を憂う。旅の極意と人生指南がつまった、笑いと涙の極上エッセイ集。幻の短篇、特別収録。
あ-39-15

安野モヨコ
食べ物連載
くいいじ
激しく〆切中でもやっぱり美味しいものが食べたい！　昼ごはんを食べながら夕食の献立を考える食いしん坊な漫画家・安野モヨコが、どうにも止まらないくいいじを描いたエッセイ集。
あ-57-2

朝井リョウ
時をかけるゆとり
カットモデルを務めれば顔の長さに難癖つけられ、マックで休憩すれば黒タイツおじさんに英語の発音を直され。『学生時代にやらなくてもいい20のこと』改題の完全版。（光原百合）
あ-68-1

朝井リョウ
風と共にゆとりぬ
レンタル彼氏との対決、会社員時代のポンコツぶり、ハワイへの家族旅行、困難な私服選び、税理士の結婚式での本気の余興、壮絶な痔瘻手術体験など、ゆとり世代の日常を描くエッセイ。
あ-68-4

（　）内は解説者。品切の節はご容赦下さい。

ちいさな城下町
安西水丸
有名無名を問わず、水丸さんが惹かれてやまなかった村上市・行田市・中津市・高梁市など二十一の城下町。歴史的事件や人物の逸話、四コマ漫画も読んで楽しい旅エッセイ。（松平定知）
あ-73-1

清張鉄道1万3500キロ
赤塚隆二
「点と線」「ゼロの焦点」などの松本清張作品を「乗り鉄」の視点で徹底研究。作中の誰が、どの路線に最初に乗ったのかという「初乗り」から昭和の日本が見えてくる。（酒井順子）
あ-89-1

ボローニャ紀行
井上ひさし
文化による都市再生のモデルとして名高いイタリアの小都市ボローニャ。街を訪れた著者は、人々が力を合わせ理想を追う姿を見つめ、思索を深める。豊かな文明論的エセー。（小森陽一）
い-3-29

夜明けのブランデー
池波正太郎
映画や演劇、万年筆に帽子、食べもの日記や酒のこと。週刊文春に連載されたショート・エッセイを著者直筆の絵とともに楽しめる穏やかな老熟の日々が綴られた池波版絵日記。（池内　紀）
い-4-90

ル・パスタン
池波正太郎
人生の味わいは「暇」にある。可愛がってくれた曾祖母、「万惣」のホットケーキ、フランスの村へジャン・ルノアールの墓参り。「心の杖」を画と文で描く晩年の名エッセイ。（彭　理恵）
い-4-136

文字に美はありや。
伊集院　静
文字に美しい、美しくないということが本当にあるのか。〝書聖〟王羲之に始まり、戦国武将や幕末の偉人、作家や芸人ら有名人から書道ロボットまで、歴代の名筆をたどり考察する。
い-26-26

切腹考
鷗外先生とわたし
伊藤比呂美
前夫と別れ熊本から渡米し、イギリス人の夫を看取るまで。生きる死ぬるの仏教の世界に身を浸し、生を曝してきた詩人が鷗外を道連れに編む、無常の世を生きるための文学。（姜　信子）
い-99-2

（　）内は解説者。品切の節はご容赦下さい。

井上ユリ
姉・米原万里
プラハのソビエト学校で少女時代を共に過ごした三歳下の妹が、食べものの記憶を通して綴る姉の思い出。初めて明かされる名エッセイの舞台裏。初公開の秘蔵写真多数掲載。（福岡伸一）
い-104-1

上野千鶴子
おひとりさまの老後
結婚していてもしてなくても、最後は必ずひとりになる。でも、智恵と工夫さえあれば、老後のひとり暮らしは怖くない。80万部のベストセラー、待望の文庫化！（角田光代）
う-28-1

上野千鶴子
ひとりの午後に
世間知らずだった子供時代、孤独を抱えて生きていた十代のころ……。著者の知られざる生い立ちや内面を、抑制された筆致で綴ったエッセイ集。（伊藤比呂美）
う-28-3

内田洋子
ジーノの家
イタリア10景
イタリア人は人間の見本かもしれない——在イタリア三十年の著者が目にしたかの国の魅力溢れる人間達。忘れえぬ出会いや情景をこの上ない端正な文章で描ききるエッセイ。（松田哲夫）
う-30-1

内田洋子
ロベルトからの手紙
俳優の夫との思い出を守り続ける老女、弟を想う働き者の姉たち、無職で引きこもりの息子を案じる母——イタリアの様々な家族の形とほろ苦い人生を端正に描く随筆集。（平松洋子）
う-30-2

遠藤周作
生き上手　死に上手
死ぬ時は死ぬがよし……だれもがこんな境地で死を迎えたい。でも死はひたすら恐い。だからこそ死に稽古が必要になる。周作先生が自らの失敗談を交えて贈る人生セミナー。（矢代静一）
え-1-12

江國香織
やわらかなレタス
ひとつの言葉から広がる無限のイメージ——。江國さんの手にかかると、日々のささいな出来事さえも、キラキラ輝いて見えだします。読者を不思議な世界にいざなう、待望のエッセイ集。
え-10-3